Eurus

Notus

渡辺 靖
Yasushi Watanabe

アメリカとは何か

自画像と世界観をめぐる相剋

Boreas

Zephyrus

岩波新書
1938

ナチスが共産主義者を連れて行った時，私は黙っていた．
共産主義者ではなかったからだ．

社会民主主義者が締め出された時，私は黙っていた．
社会民主主義者ではなかったからだ．

労働組合員が連れて行かれた時，私は黙っていた．
労働組合員ではなかったからだ．

そして，彼らが私を追ってきた時，私のために声をあげる者はもう誰一人残っていなかった．

マルティン・ニーメラー

［ニーメラー財団作成のドイツ語版をもとにした拙訳］

はしがき——「ノースカロライナ州カリタックのPM」の不満

ドナルド・トランプ前大統領がホワイトハウスを去って久しい。しかし、ワシントンの慣例を破り、退任後も政治の表舞台に立ち、存在感を放ち続けている。二〇二二年秋の中間選挙では共和党の候補者選びに多大な影響力を発揮し、二四年秋の大統領選挙に再出馬する可能性も示唆している。支持者による前代未聞の連邦議会議事堂襲撃事件(二〇二一年一月)を扇動したと非難されたにもかかわらず、何故トランプは不死身なのか。今の米国をどう理解すればよいのか。米国は大丈夫なのか。本書はこうした問いに対する私の見立てを書き留めたものである。

＊

少し時間を戻そう。

敗れはしたもののトランプの強さが改めて浮き彫りになった二〇二〇年秋の大統領選挙から三週間。米国の政治専門サイト(electoral-vote.com)に軽く目を通していると、ある読者からの投稿が目に留まった。

ペンネームは「ノースカロライナ州カリタックのPM」。ペンシルベニア州ルザーン郡出身の「生粋のブルーカラーのペンシルベニア人」とのことだが、現在はノースカロライナ州で高校教師をしている。同郡は二〇〇八年と一二年にはバラク・オバマ元大統領に投票したが、一六年と二〇年にはトランプを支持した。ちなみにジョー・バイデン大統領の故郷スクラントン(ラッカワナ郡)までは車で約三〇分。ともにワイオミングバレーと呼ばれるアパラチア山脈中の歴史的な工業地帯を形成している。米中西部から大西洋岸中部地域の一部に広がる「ラストベルト(錆びついた工業地帯)」の典型だ。

そのカリタックのPMはこう記した。

> 生粋のブルーカラーのペンシルベニア人として、私はエリート主義的で俗物的な考え方をする民主党の多くの人々に強い憤りを感じています。彼らは私たちを馬鹿にしたように語り、上から目線で見下します。でも、私たちは愚かではありません。自分たちで築いた人生を誇りに思っていますし、思慮深い人間です。差別主義者でも、無知でも、田舎者でもありません。ただ、考え方が違うだけで、自分が誰かよりも優れているとは考えないので

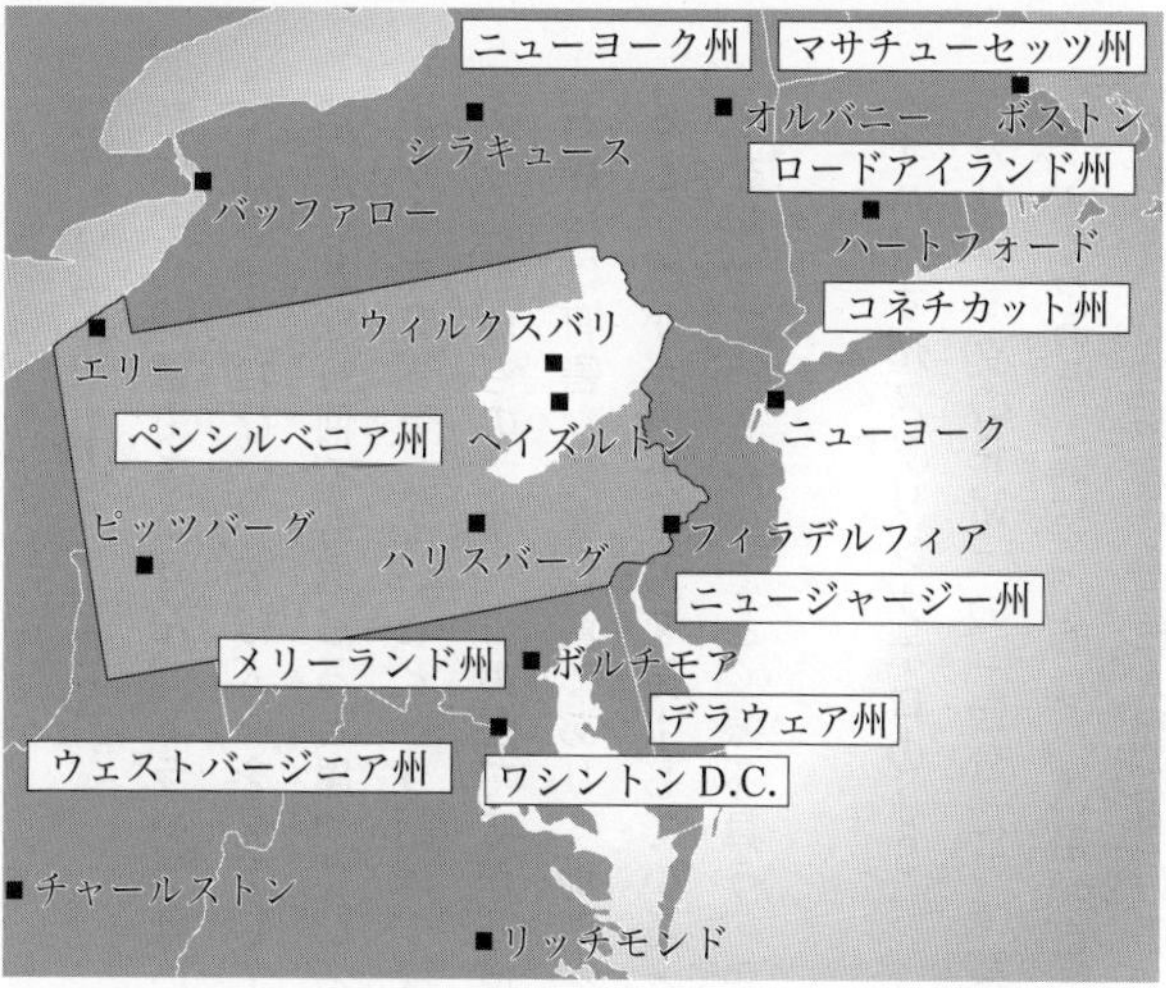

ペンシルベニア州ルザーン郡の位置（白抜きの箇所）

す。トランプは、私たちのような人々を見下す発言はしません。だからこそ、ペンシルベニア州の私の地域［ルザーン郡］の多くの人々が、二〇一六年に彼に投票したのです（二〇二〇年にもそうしました）。民主党が私たちの票を取り戻したいのであれば、私たちに同じ人間として話しかけ、私たちの話に耳を傾けるべきなのです。

（二〇二〇年一一月二二日。筆者抄訳、［ ］内は筆者による補足説明、以下同）

ややリベラル色の強いサイトということもあり、その直截的な筆致は読者から大きな反響を呼んだ。

「アリゾナ州ツーソンのBS」
私は全く同意できません。トランプはいつも皆を見下しています。一日に何度も平気な顔で嘘をつくたびに、彼は人々を見下しているのです。人々を馬鹿だと思っていて、自分の話すことなら何でも信じると思っているのです。これ以上の侮辱はありません。リベラル派が人々を見下しているという話は、保守的なメディアの中で培われた、現実よりも思い込みに近いものです。この国で広がる反科学・反知識の文化を反映したものなのです。化石燃料は有害な汚染物質であり、地球を温暖化させているという気に食わない話を耳にすると、誰かが自分たちを見下していると考えてしまうのです。そして、その誰かとは、全てを知っているかのごとく振る舞う、忌々《いまいま》しいリベラル派というわけです。

「オハイオ州スプリングボロのJS」
「カリタックのPM」の「自分たちで築いた人生を誇りに思っています」という発言は、古くからある人種差別的な「犬笛」〔自分の支持者にだけ分かる隠語的な表現〕で、訳すと「苦労している貧困層や有色人種は怠け者で、自分たちで何かを築くことなく、政府からの施しを望んでいる」ということになります。これは（黒人の）「福祉ママ」［生活保護を受けているシングルマザー］が勤勉な労働者階級の白人が手にするべき富を全て盗んでいる、という共和党のいつもの愚痴です。

「ニューヨーク州ニューヨークのＪＡ」

自分たちの声を聞いてほしいと主張しながら、相手に同じ礼儀を尽くそうとしない右寄りの「雪片（snowflake）」［自意識過剰人間の意］に付き合わねばならないことにうんざりしています。彼らが溶けてしまわないように、もうじき冬が到来するのは良いことだと思います。

こうした批判に対して、「カリタックのＰＭ」は長い応答文を投じた。

ペンシルベニア州ルザーン郡の人々の多くは、世界が「理にかなっていた」一九六〇年代の生活をいまだに夢見ているのです。彼らの多くはワイオミングバレー以外に住んだことがなく、白人以外の人とほとんど接触したことがありません。私の一三年間の学校生活の同級生にも、有色人種は一人もいませんでした。その後、私は別の場所に暮らし、彼らが持っていない視点から物事を理解しています。彼らのように、世界があのような状態に戻ることはないと思っています。しかし、自分たちが生まれ育った考え方を変えるには長い時間がかかるのです。

政治的な問題になると私たちは怒ります。何十年もの間、民主党の政治家が町に来て、雇用の回復を公約し、人々は長年の党への忠誠心から一貫して民主党に投票してきました。その政治家たちは票を集め、職を得ましたが、ワイオミングバレーのためには何もしませんでした。それどころか、年月が経つにつれ、民主党はアイデンティティ・ポリティクスや貧しい人々への無料配給などに没頭するようになり、ますますバレーの人々のニーズから遠ざかっていったのです。裏切られたと感じました。

「アイデンティティ・ポリティクス」(アイデンティティの政治)とは、人種・民族・宗教・ジェンダー(社会的性)・性的指向・障害など特定の属性を持つ集団が社会的に不当な扱いを受けているとして、社会的承認や政治的権利を求めて行う行動を指す。一九九〇年代以降、リベラル派を中心にアイデンティティをめぐる問題が政治争点化する一方で、保守派からの反発も凄まじく、今日の米国の分断状況を象徴する言葉になっている。
「カリタックのPM」は続ける。

ルザーン郡の多くは「オバマ→トランプ」の有権者でした。党への忠誠心からオバマに投票したものの、その時点ですでにそれなりの恨みが溜まっていました。そして、二〇一五年にトランプが登場しました。実際に何千もの雇用を創出し、地域の人々のために状況を改善すると約束する人物が現れたのです。ルザーン郡の人々はトランプが本当に雇用を回復できると信じていたでしょうか？　いいえ、信じてはいませんでした。しかし、人々は彼にチャンスを与えようとしました。何十年もの間、自分たちの生活を良くしてくれると約束した民主党に投票してきたのに、何の見返りもなかったのですから。なぜトランプにチャンスを与えないのか？

この問題に気づいたのは、バイデンも同じです。彼はスクラントン生まれでバレーとのつながりがあり、二〇一六年一〇月にウィルクスバリ〔ルザーン郡の郡庁所在地〕で行われたトランプの集会を見て、こう言いました。「なんてこった。この選挙は負けるかもしれない」。

彼はこの地域の人々が人種差別主義者や偏屈者ではないことを知っています。私たちは自分たちに押し付けられた不公平な経済に怒り、自分たちの声を代弁してくれるトランプに注目したのです。そして、その結果、民主党は数十年ぶりにルザーン郡を失ったのです。

とりわけ「カリタックのＰＭ」は「スプリングボロのＪＳ」が用いた「犬笛」という表現に強い憤りを示した。

誰かが何かを言うと、それが自動的に人種差別的な犬笛だと受け取られるのですか？そうした反応こそ俗物の典型であり、ルザーン郡の私たちのような人々が断固として拒否するものです。私たちは自分たちが何者であるかを誇りに思っており、それ以外には何もありません。私たちを推し測ったり、私たちの「本当の」動機を分析しようとするのはやめてください。そのようなことをし始めると、人を馬鹿にしたような傲慢な態度になります。私たちは見下されることを嫌います。

その一方で、「メリーランド州ボルチモアのＡＪ」は「カリタックのＰＭ」の「アイデンテイティ・ポリティクス」の捉え方に異議を唱えた。

民主党のアイデンティティ・ポリティクスを批判する人は、トランプがブルーチーム［民主党］よりもずっと効果的にアイデンティティ・ポリティクスを利用したことに気づかねばなりません。唯一の違いは双方がどのようなアイデンティティをターゲットにしたかということです。トランプがアイデンティティ・ポリティクスを利用した例は数え切れないほどありますが、私の印象に残っているのは、彼が『タイム』誌の「パーソン・オブ・ザ・イヤー［今年の顔］」に選ばれた直後の集会です。トランプは「かつてはマン・オブ・ザ・イヤーだったが、新しいタイトルの方がより「政治的に正しい（politically correct）」ようだ」と指摘したうえで、「だから雑誌業界は苦戦しているに違いない」と切り返したのです。かなり軽薄な話ですが、トランプがいかに無意味なことでも自分の支持基盤に向けて巧みに争点化したかを浮き彫りにしています。そして、これは民主党がやっていることと同様に「アイデンティティ・ポリティクス」なのです。

連邦議会議事堂襲撃事件の後、気になってサイトを覗いてみると、「カリタックのPM」からの投稿があった。

議事堂襲撃の翌日、NPR〔米国公共ラジオ放送〕の司会者が「黒人の警察官が暴徒を上院の議場から遠ざけた」と述べていました。警官の人種がなぜ関係あるのでしょうか？　なぜ単に「警察官」と言わないのでしょうか？　答え――彼らは人種について議論することに夢中で、可能な限り全てのストーリーに人種を持ち込まずにはいられないのです。

モーガン・フリーマン〔俳優・映画監督〕はかつて、人種差別に対処する最良の方法は、その話をやめることだと言いました。誰かが有色人種であることや、その性的指向などを常に指摘することは、団結よりもむしろ分断を招くのです。彼は「黒人のシスジェンダー〔心と身体の性が一致する人〕男性モーガン・フリーマン」ではなく、「モーガン・フリーマン」なのです。彼の性別や人種は関係ありません。絶えずそれを持ち出すことは、分断を深めるだけです。

（二〇二一年三月二八日）

保守派とリベラル派の対立は目新しいものではない。筆者である私自身、約四半世紀前に著した博士論文では、マサチューセッツ州ボストンにおけるフィールドワークをもとに、保守派とリベラル派の相剋に焦点を当てた(二〇〇四年に『アフター・アメリカ――ボストニアンの軌跡と〈文化の政治学〉』(慶應義塾大学出版会)として刊行)。その後も全米各地を訪れては、米国のアイデンティティ(自己理解、自画像)の揺らぎを観察してきた。

しかし、時が経つにつれ、そうした相剋や揺らぎは一段と広がりと深さを増し、米国を語ること自体、ますますデリケートな行為となっている。

求心力よりも遠心力を強める米国。国民国家としての自己定義に苦慮する米国。国際社会におけるソフトパワー(誘引力)の低下が危惧される米国。一体、何故こうした状況に陥っているのか。内政や外交とどう結びついているのか。米国の歴史の中でどう位置づけ得るのか。現代世界、そして民主主義の今後にいかなる含意を持ち得るのか。私なりの視点や解釈を提起してみたい。

以下、第一章で米国の社会や政治をマクロな視点から捉えたうえで、第二章では近年のミクロな動向を考察する。同様に、第三章で米国の対外関係や外交をマクロな視点から捉えたうえで、第四章では近年のミクロな動向を検討する。第五章ではそれらの議論を踏まえたうえで、米国の分断の行く末とその含意について思案する。

目次

第 1 章

自画像をめぐる攻防

コリン・パウエル元米国務長官の葬儀に参列する（前列左から）バイデン大統領夫妻，オバマ元大統領夫妻，ブッシュ（子）元大統領夫妻．パウエルを「名ばかり共和党員」と批判してきたトランプ前大統領は姿を見せなかった（ワシントン DC，2021 年 11 月 5 日，© ZUMA-PRESS.com/amanaimages）

1　米国という実験

米国はしばしば人類史における「実験国家」と称される。古代の共和政ローマや中世のベネチア共和国など、君主が統治しない政治体制はそれまでも存在したが、いずれも小国だった。かたや米国の場合、独立直後の一三州は東海岸に集中していたものの、面積は今日の日本の二倍以上。イギリスやフランスの本土を合わせた面積よりも広大だった。市民が自ら統治する「大国の共和国」などほとんど暴挙と思われた。

とりわけ、独立以来、米国は中央への権力集中に懐疑的だった。中央に権力を与えると、いつの間にか強大化し、かつての宗主国イギリスのように自分たちを搾取し始めるかもしれない。それでは一体何のために独立したのか分からない。かといって、一三州がばらばらのままでは通商や軍事の面でイギリスやフランスなどヨーロッパ列強に対して不利になる。建国の指導者たちは古代ギリシアの民主政や古代ローマの共和政に学びながら、国家としてのスケールメリットは活かしつつ、中央の権力を憲法で厳しく制限する立憲民主制を具現化していった。

その一つが三権分立制度である。中央の権力を三つの部門、すなわち行政府(大統領府＝ホワイトハウス)、立法府(連邦議会)、司法府(連邦裁判所)に分割し、相互に抑制と均衡を保つようにした。例えば、大統領は大統領令(法律と同等の効力を持つ行政命令)や法案拒否権を発動できるが、いずれも議会や裁判所による抑制が働いている。日本の内閣のように議会解散権や法案提出権はなく、政府高官(閣僚や大使など)や裁判官の任命には議会(上院)の同意を要する。

加えて、各州に強い権限を与えることで、中央の権力を相対的に弱くした。各州が独自の憲法や軍隊を有し、税や選挙、教育、ライセンス(運転免許や職業免許)などに関しても大きな裁量を持つ。日本では「国立」大学が存在するが、米国では陸軍士官学校(ウェストポイント)や海軍兵学校(アナポリス)など一部の特殊な大学を除き、「国立」の学校は存在しない。こうした高度の独立性を有する諸州が緩やかに連なった連邦制国家が、米国である。

すなわち、ヨーロッパの「旧世界」がヒエラルキーを重んじるピラミッド型の社会だったのに対し、「新世界」としての米国は市民主体の「自律・分散・協調」を重んじるネットワーク型の統治を試みた点で画期的だった。「理念の共和国」と称される所以でもある。

一九九三年に設立された欧州連合(EU)は各国(state)が主権を保ちながら緩やかな統合を目指す点で「ヨーロッパ合衆国(United States of Europe)」の考え方に近いが、米国はヨーロッパより二〇〇年以上前に同様の試みを始めたわけである。一九二二年に誕生したソビエト連邦は共産党を中心に強大な中央集権体制を追求した点で米国とは正反対の「実験国家」だったが、わずか約七〇年で崩壊している。米国の実験は約二五〇年続いている。しかし、それでも人類の長い歴史の中ではまだわずかな期間に過ぎない。

もっとも、米国という実験の歩みは決して平坦なものではなかった。

「全ての人間は生まれながらにして平等である」ことを「自明」とした独立宣言とは裏腹に、先住民や黒人、女性らが政治的・経済的に自由な市民ではなかったことは言うまでもない。また、市民による統治を重んじながらも、例えば、大統領選挙が直接選挙ではなく各州の有力者から成る「選挙人団」を選出する間接選挙になっている背景には、情動的な市民(=大衆)への不信感があった。

一七八九年、合衆国憲法に基づく初の大統領選挙が行われ、ジョージ・ワシントンが初代大統領に選出されたが、当時の首府ニューヨークで行われた就任式にロードアイランド州とノースカロライナ州の代表者の姿はなかった。両州はまだ憲法を批准していなかったからである。もともと憲法は連邦制導入をめぐる賛成派と反対派の急ごしらえの妥協の産物だったが、市民の基本的人権を定めた権利章典を修正条項として追加すべきとの声が絶えなかった。それほど中央への警戒心は強かった。

　しかも国家としての船出から約七〇年後には南北戦争(一八六一~六五年)が勃発。奴隷制の賛否が直接的な争点となったが、その深因は連邦制の強化を求める北部諸州と州権を重視する南部諸州の対立にあった。南部諸州はアメリカ合衆国(USA)から離脱し、アメリカ連合国(CSA)としての独立を宣言。独自の憲法を制定し、ジェファーソン・デーヴィス大統領を選出した。一般に「内戦」と称される南北戦争だが、形式的には二国間の国際紛争だった。

　このように建国期から南北戦争期までは連邦政府の有無そのものが問われた時代だった。北軍(北部)の勝利によってこの問題はひとまず決着し、米国は統一された近代国民国家として本格的に発展を遂げることになる。当時は米国のみならず、日本やイタリア、ドイツなどでも国家統一の動きが相次ぎ、国民国家が国際関係の基本単位になっていった。

2　米国流「リベラル」の誕生

　南北戦争後、米国では資本主義が急速に発展。西部開拓が進み、「金ぴか時代」と称されるバブル期を迎えた。国家が統一されたとはいえ、連邦政府の権限は今日と比較にならないほど小さく、歴代大統領の一覧表を眺めても、知名度の高い大統領はほとんど見当たらない。一八九三年の恐慌でこのバブルは弾け、自由放任主義の弊害を是正すべく、反トラスト法の強化、累進的所得税の導入、連邦捜査局(FBI)や連邦準備制度(FRS。米国の中央銀行制度)の創設などが行われた。また、政治腐敗の浄化、女性参政権の付与、教育や労働条件の改善、貧民救済、禁酒法の制定などの改革も相次いだ。専門家や行政官僚らを中心に、近代的・科学的・合理的な社会の管理や進歩のあり方が模索された。いわゆる「革新主義の時代」である。

しかし、第一次世界大戦(一九一四〜一八年)後の好況を背景に「ジャズの時代」と呼ばれるバブル期が再び訪れる。享楽的な消費文化や都市文化が隆盛し、ジャズが「狂騒の一九二〇年代」の象徴となった。

それを一変させたのが一九二九年の世界大恐慌である。失業率が約二五パーセントという未曽有の危機を背景に、フランクリン・ルーズベルト大統領(民主党)はケインズ派の経済学を理論的支柱としながら、金融制度の改革や大型公共事業の実施、社会保障制度の創設など、政府による積極的介入策、いわゆる「ニューディール」政策を展開した。そのことは福祉国家や「修正資本主義」への転換を意味し、以後、約半世紀にわたって「大きな政府」を是認する「リベラル」が米政治の基本潮流を成した。当然ながら反発も凄まじく、違憲訴訟が相次ぎ、ルーズベルトは「社会主義者」と糾弾された。

それまで政府による介入は「自由」にとっての「障壁」と考えられてきたが、世界大恐慌を境に、むしろ政府による一定の介入こそが真の「自由」を保障する「手段」であるとの見方が強まった。これが米国流の「リベラル」の考え方である。そして「リベラル」の対極、すなわち政府による介入を「障壁」と見なし、建国当初の「小さな政府」を指向するのが米国流の「保守」の立場となる。

あえて「米国流」と記すのは「リベラル」や「保守」の意味は国や地域によって異なるからだ。

米国の独立宣言や憲法の基本にあるのは個人の自由や権利を尊重するジョン・ロックらの近代啓蒙思想、すなわちヨーロッパ流の「自由主義」である。身分制社会を否定する米国では、

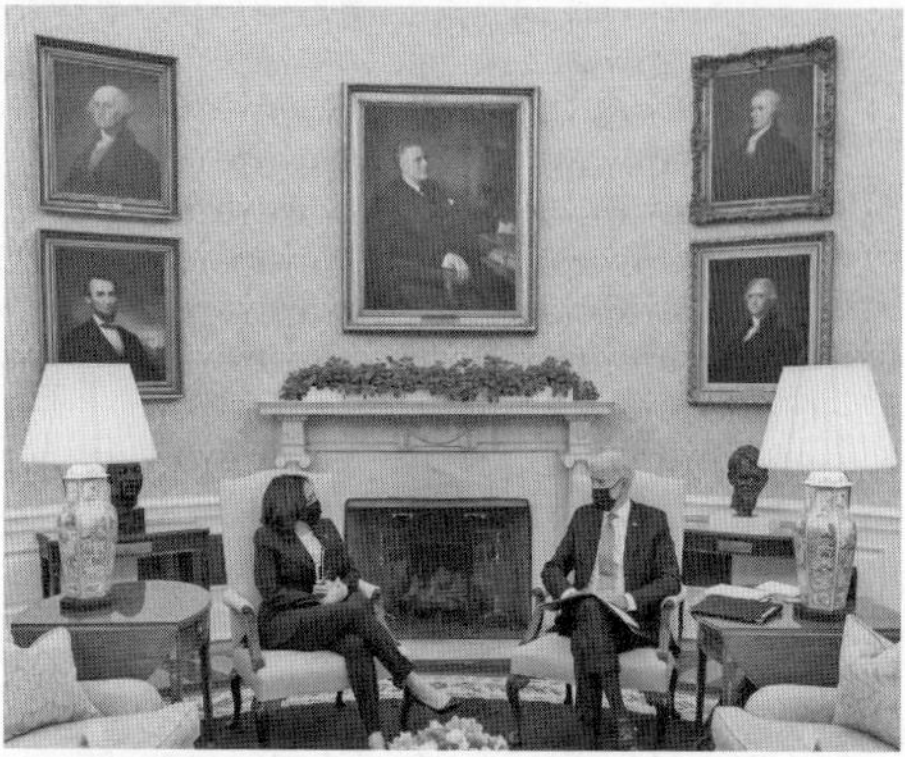

写真 1-1　バイデン大統領の執務室．フランクリン・ルーズベルトの肖像画が中央に飾られている（2021 年 4 月 12 日，© Official White House Photo by Adam Schultz）

近代そのものに懐疑的なヨーロッパ流の「保守主義」はもともと希薄だ。憲法は貴族の称号の授与を禁じている。その一方で、個人の自由や権利を重んじる政治風土ゆえ、強大な中央集権体制を通して社会全体の組織化を目指すヨーロッパ流の「社会主義」が広く受け入れられることもなかった。米国には今もアメリカ社会党（SPUSA）やアメリカ共産党（CPUSA）といった左翼政党が存在するが、政治的影響力はほぼ皆無に等しく、存在すら知らない米国人も多い。

要するに、君主や貴族による統治（保守主義）も巨大な政府権力による統治（社会主義）も否定し、政治的・経済的に自由な市民による統治（自由主義）のみを肯定するのが米国の特徴である。米国流の「リベラル」はこの自由主義の左派、「保守」はその右派に過ぎない。社会主義・自由主義・保守主義という三すくみの対立軸によって政治が織りなされてきたヨーロッパに比べると、イデオロギー上の多様性や差異はもともと少ない。

ともあれ、ルーズベルトを継いだハリー・トルーマン大統領（民主党）の「フェアディール」政策、ジョン・ケネディ大統領（民主党）の「ニューフロンティア」政策、リンドン・ジョンソン大統領（民主党）の「偉大な社会」政策は、いずれもニューディール体制の延長線上にあり、「リベラル」の系譜に連なるものだった。ケネディが就任演説で述べた「科学の恐怖ではなく、その驚異を呼び起こすことを追求しようではないか。一緒に天体を探査し、砂漠を征服し、病気を根絶させ、深海を開発し、芸術と通商を奨励しようではないか」という言葉は当時の時代思潮をよく反映している。同大統領が創設した平和部隊（Peace Corps）は発展途上諸国に青年を派遣し、技術教育など現地の開発計画に寄与しようとする機関で、日本の青年海外協力隊のモデルとなった。

ケネディは暗殺される半年前に行った演説の中で「私たちが抱える問題は人間が作り出したものだ。したがって人間が解決できる。人間の理知と精神は解決不能と思われることもしばしば解決してきた。またそうできると私は信じている」とも述べている。近代的・科学的・合理的な知やそれがもたらす社会の進歩に対する信頼は「革新主義の時代」の精神とも通底する。

３　米国流「保守」の逆襲

「基本に戻ろう」

その一方で、リベラルな時代潮流への反動も芽生え始めた。一九六四年の大統領選挙で共和党の候補に指名されたバリー・ゴールドウォーター上院議員は「共和党と民主党には違いがほとんどない」と自党の主流派（中道派）を挑発。「保守」政党としてのアイデンティティ確立を唱えた。本選挙ではジョンソンに大敗したものの、リベラル派が推進する公民権運動に反発する南部は共和党支持へと傾き始めた（奴隷解放を行ったエイブラハム・リンカン大統領が共和党だったことから、南部ではそれまで民主党が優勢で、世界大恐慌以降は民主党の牙城となっていた）。

一九七〇年代に入るとニューディール体制も行き詰まりを迎える。低成長や高インフレ、石油ショックは経済を疲弊させ、福祉国家が持続困難になる一方で、肥大化した行政機構や規制制度は人々の閉塞感を助長した。共産主義からの解放を大義に掲げたベトナム戦争は泥沼化し、イランでは米外交官が長期間にわたって人質に取られるなど、米国の威信低下が目立つようになった。

そうした中、一九八〇年の大統領選挙でロナルド・レーガン（共和党）が地滑り的勝利を収める。就任演説では「政府が問題を解決するのではない。政府こそが問題なのだ」と言明。行政府の長の言葉としてはいささか奇異に聞こえるが、ニューディール体制の半世紀は米国史における例外ないし逸脱であり、今こそ建国の「基本に戻ろう（Back to Basics）」と訴えるレーガンの言葉は多くの米国人の琴線に触れた。

レーガンによって戻るべき「基本」とされたのは建国当初の「小さな政府」だが、具体的には――

①減税や規制緩和、福祉削減、民営化など自由放任主義的な経済(経済保守)
②政府主導ではなく教会や地域を中心とする倫理規範や社会秩序の回復(社会保守)
③対外的な威信回復と軍備増強(安保保守)

の三つである。

経済面ではミルトン・フリードマンらの新古典派経済学が理論的支柱とされ、効率性や市場競争力そのものを「正義」とする新自由主義(ネオリベラリズム)が正当化された。ケインズらの不均衡動学派経済学からの大転換であり、効率性や市場競争力の過剰を制御する価値として「正義」を位置づけたジョン・ロールズらのリベラルな政治哲学とは対照的だ。

社会面ではキリスト教保守派、とりわけプロテスタントの保守派(福音派)の影響力が増した。時代の変化に応じて聖書を柔軟に解釈する主流派とは異なり、聖書を字義通り厳格に解釈し、かつ政治的に活発な点が特徴だ。家父長的な核家族のあり方が「家族の価値」とされ、人工妊娠中絶や同性婚の非合法化を求めた。また、ヒスパニック(中南米)系の移民急増に伴い、英語の公用語化運動も熱を帯びた(合衆国憲法は英語を米国の公用語＝国語とは規定していない)。

安保面ではソ連を「悪の帝国」と称し、民主主義の擁護や拡大の手段として単独行動主義や軍事力行使をも厭わない強硬論が台頭した。民主党内のハト派（反戦・平和主義）に幻滅したタカ派（リベラルホーク）も合流し、新保守主義（ネオコンサーバティブ＝ネオコン）を形成した。

「自己統治」の論理

これら三つは厳密には必ずしも調和しない。例えば、軍備増強は政府の歳出拡大や規制強化につながり得る。人工妊娠中絶や同性婚の非合法化は公権力による私権の侵害とも受け止め得る。自由放任の経済は社会の規範や紐帯を容易に破壊し得る。しかし、それらを「小さな政府」「家族の価値」「強い米国」といったレトリックと巧みなバランス感覚で融合し、「保守大連合」を実現したのがレーガンだった。「レーガン保守革命」と称される所以でもある。

その最大公約数を挙げるとすれば「自己統治（セルフガバナンス）」という考えであろう。すなわち、国内的には政府の介入を排し、個人・企業・地域の自律性を重んじ、対外的には他国や国際社会——とりわけ国際連合（UN）など、いわば究極の「大きな政府」（＝世界政府）——に左右されることなく、国家としての主権を最大限に担保しようとする姿勢だ。

「自己統治」の考え方はリベラル派の社会工学的発想とは正反対で、より自生的秩序を重視し、近代的・科学的・合理的な知の過剰を警戒する。進化論や地球温暖化、ワクチン接種などに保守派が懐疑的な一因はここにある。また、「自己統治」の考え方は社会責任よりも自己責任を求める立場につながりやすい。犯罪や貧困なども社会制度ではなく個人の問題に回収されがちだ。例えば、リベラル派は黒人やヒスパニック系の犯罪率の高さの原因を教育、住宅、雇用、医療、司法など多方面にわたる制度的差別に求める傾向があるが、保守派はそうした姿勢を「犯罪に甘いリベラル」と一蹴する。貧困や格差についても然りで、保守派はあくまで「自助」を重視。一九八〇年代以降、税の累進度を緩和し、富裕層への富の集中が加速した。レーガンの盟友でイギリスにおける新自由主義の推進者だったマーガレット・サッチャー首相が「社会など存在しない。あるのは個人としての男と女と家族だけだ」と言明して個人の責任を問い、福祉国家体制を否定したことは有名だ。これは米国のみならず、日本を含む先進国全体の潮流でもあった。

たしかに一九九三年からの八年間は民主党のビル・クリントン大統領が政権を担い、当初は夫人のヒラリー・クリントンと国民皆保険制度の導入などのリベラル路線を模索した。しかし、就任二年目の九四年に行われた中間選挙では民主党が四〇年ぶりに議会の上下両院で少数派に転落。以後、「右旋回」「第三の道」「中道路線」などと称されるごとく、保守派への妥協を余儀なくされ、リベラル派の反対を押し切る形で、福祉削減、金融規制緩和、北米自由貿易協定(NAFTA)署名、犯罪の厳罰化などを推進。九六年の一般教書演説ではついに「大きな政府の時代は終わった」と宣言するに至る。

激化する党派対立

議会における民主党優位の時代が終わると党派対立は激化。放送の公平性を担保する「公平原則(フェアネス・ドクトリン)」——例えば、両党の候補者に同じ発言時間と反論機会を与えることなど——が一九八七年に廃止されたことでメディアも党派化が進んだ。また、政治の世界にマーケティングの手法が積極的に用いられるようになり、有権者の区分けや論点の単純化が進んだ。冷戦が終結し「ソ連」という共通の外敵が消滅した点も看過できない。今日の党派対立の直接的な起源は九〇年代に遡る。アイデンティティ・ポリティクスが盛んになりだしたのもこの頃である。

長年、リベラルな時代潮流の中、「保守」は負の烙印を押され続け、「粗野」「反知性」「時代錯誤」とほとんど同義だった。しかし、保守派の政治的台頭を受け、アカデミズムの世界でも米国流「保守」に積極的な思想的価値を見出す動きが出てきた。また、ヘリテージ財団や戦略国際問題研究所（ＣＳＩＳ）など保守系の財団やシンクタンクも存在感を増していった。一九九六年には「メディア王」ルパード・マードックが、レーガン政権下で共和党のメディア参謀を務めたロジャー・エイルズを社長に抜擢して、保守系の放送局「ＦＯＸニュース」を創設した。このように保守を支える知的インフラが整備され、党派対立に一段と拍車がかかった。

ジョージ・Ｗ・ブッシュ大統領（共和党）は二〇〇〇年の大統領選挙で「米国は世界に対してより謙虚であるべきだ」と主張し、コソボ紛争からソマリア内戦に至るまで、対外関与を深めていったクリントン政権を批判。大統領就任後は包括的核実験禁止条約（ＣＴＢＴ）や対人地雷全面禁止条約（オタワ条約）の批准拒否、国際刑事裁判所（ＩＣＣ）に対する署名拒否、地球温暖化防止条約京都議定書からの離脱など、孤立主義的な性格を強めていた。

しかし、二〇〇一年九月の同時多発テロ発生を契機に安保保守が一気に台頭。国内世論の後押しを受けながら、政権全体が急速にタカ派に転じた。対アフガニスタン戦争に続く対イラク戦争に際しては、その正当性をめぐって国際社会から批判が相次いだが、極端な孤立主義も強引な介入主義も、単独行動主義という点では同じだ。その根底には米国の命運は他国や国際社会に左右されないという「自己統治」の論理があった。

4　オバマとトランプをつなぐもの

政治不信が生み出した大統領

ブッシュ時代の八年間に党派対立は先鋭化の一途を辿り、「米国の分裂」「二つの米国」「文化戦争」といった言葉が人口に膾炙《かいしゃ》するようになった。

そうした中、二〇〇四年の民主党大会で「ここにあるのはリベラルや保守の米国ではなく、合衆国なのです」と謳い上げたバラク・オバマ（当時はイリノイ州議会上院議員）が一気に政治のスターダムを駆け上がる。白人への敵意を剝き出しにしがちだった従来の黒人政治家とは異なり、「ここにあるのは黒人や白人、ラティーノ（ラテン系）、アジア系の米国ではなく、合衆国なのです」と説くオバマは国民の融和へ向けた希望のアイコンとなり、閉塞感に満ちた世論は過剰なまでの期待を彼に託した。その意味で、オバマはまさに一九九〇年代以降の党派対立や政治不信が生み出した大統領だった。

しかし、医療保険制度改革（オバマケア）などで超党派の合意を模索したものの、民主党内からは「妥協しすぎ」「弱腰」との不満が強まり、共和党内からは「党派的」「独裁者」との批判が弱まることはなかった。融和や中道を求める姿勢がかえって対立や分断を深めてしまう逆説の好例だ。

もう一点特筆すべきは米国の役割をめぐるオバマの見解であろう。シリア政府による化学兵器使用問題に関する演説(二〇一三年)では「米国はもはや世界の警察官ではない」と言明する一方で、「米国は世界における指導的立場を担っていかなければならない。今でも例外的で特別な国だ」とも発言。米国のアイデンティティの揺らぎを印象づけた。「世界の警察官」は冷戦終結後の米国が自ら進んで引き受けた役割である。同様の揺らぎは、「核なき世界」を訴えた大統領就任直後のプラハ演説(二〇〇九年四月)と「正戦論」を擁護したオスロ演説(ノーベル平和賞受賞演説、同年一二月)の間でも見られた。

異形の共和党大統領

二〇一七年に就任したドナルド・トランプ大統領(共和党)の統治手法はオバマとは正反対だった。オバマが国民の融和を指向したのに対し、トランプはむしろ国民を「敵と味方」に二分し、対立や分断を煽ることを自らの政治的エネルギーの源とした。党派対立と閉塞感を増す一九九〇年代以降の米政治ではワシントン(=中央政界)のアウトサイダーであることは有利に働

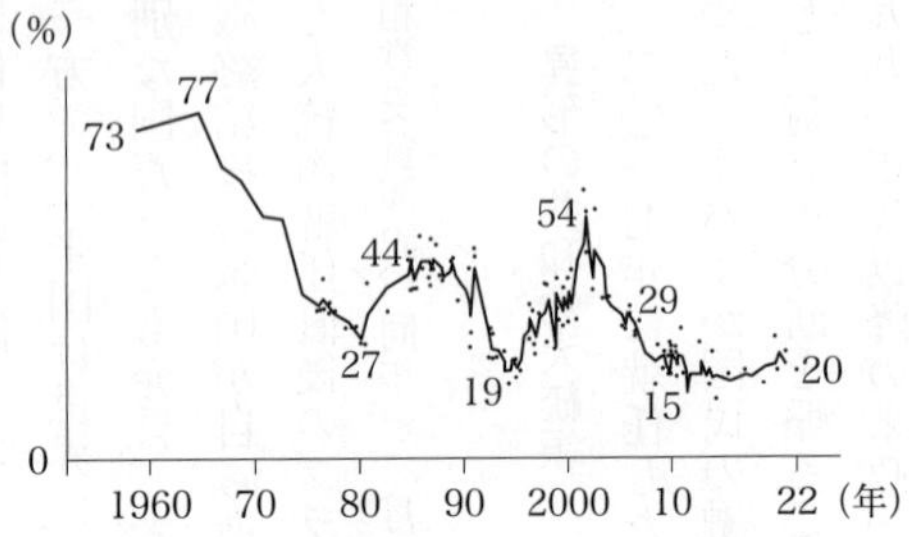

図1-1　連邦政府への信頼度の推移
出所：ピューリサーチセンターのHP掲載図をもとに作成

く。事実、クリントン、ブッシュ両大統領の前職は州知事。オバマは連邦上院議員だったが、一期目の任期早々に出馬表明している。この点、公職経験が一切なかったトランプは究極のアウトサイダーであり、民主党はおろか、共和党内の主流派をも攻撃する姿、そして米政治の慣例に囚われない型破りの言動は、有権者の反ワシントン＝反エリート感情に訴えた。米国内の対立や分断を深めたトランプだが、彼自身、長年の党派対立や政治不信の産物でもあった。その意味で、〇八年のオバマ旋風と一六年のトランプ旋風は同根と言える。連邦政府への信頼度は近年、極めて低い状況が続いている（図1-1）。

そして、オバマ同様、トランプも「世界の警察官」の役回りに否定的だった。しかし、オバマの場合、同盟国との関係強化や国際的なルール作りを主導することで米国の地位や影響力を維持しようとした。気候変動に関するパリ協定やイラン核合意、環太平洋パートナーシップ（TPP）協定の締結などはその好例だ。かたや、トランプはこれらの枠組みから一方的に離脱。戦略的観点よりも金銭的な損得勘定に固執する姿勢は同盟国の不信を買った。つまり、「米国はもはや世界の警察官ではない」という認識そのものは同じだが、オバマの場合は国際協調主義、トランプの場合は自国第一主義がそれぞれ含意されていた。

加えて、トランプは「保守」政党としての共和党のアイデンティティを変容させた。大規模な減税や規制緩和に肯定的で、オバマケアや気候変動対策に否定的な点は経済保守派から高く評価されたが、自由貿易に懐疑的で、制裁関税を乱発し、財政規律を軽んじた点には批判も多かった。同様に、イランへの強硬姿勢や軍備増強などは安保保守派と軌を一にしたが、ＥＵや北大西洋条約機構（ＮＡＴＯ）への敵対的姿勢やロシアへの宥和的態度などには懸念の声が上がった。エルサレムのイスラエル首都認定や人工妊娠中絶に否定的な連邦裁判事の指名などは社会保守派を歓喜させた。しかし、人種やジェンダーを

写真 1-2　当選したトランプをホワイトハウスに迎えて初会談するオバマ大統領(2016 年 11 月 10 日, © Sipa USA/amanaimages)

めぐる差別的な言動には党内の反発も少なくなかった。少なくとも、同時多発テロの直後、イスラム教やムスリムに対する憎悪行為を厳しく諫めたブッシュとは大きな落差があった。まさにトランプはレーガン以降の米国流「保守」に必ずしも合致しない異形の共和党大統領だった。

トランプの政治的立場を体系的に整理するのは容易ではないが、「ペイリオコンサーバティブ(paleoconservative)」(原保守主義=ペイリオコン)に近いと思われる。

その特徴は一九五〇年代の米国を黄金時代と見なす点にある。すなわち、(公民権運動が隆盛となる前の)五〇年代の米国には白人とキリスト教を中心とした社会秩序があり、第二次世界大戦後の繁栄に支えられた分厚いミドルクラスが存在していた。しかし、今や、その米国はグローバリズムによって侵食されている。多くの移民が流入し、「古き良き米国」の文化が破壊され、彼らのために米国民の血税が投じられ、職が奪われている。加えて、工場の海外移転により産業は空洞化し、地方はすっかり寂れ果ててしまった。対外関係においても、戦後の米国は自由(西側)世界をリードし、他国から尊敬されていた。しかし、気がつけば、他国は大きく成長する一方で米国は疲弊し、同盟国にもただ乗りされている……。このように戦後の米国の歩みをひたすら否定的に捉える。

その根底にあるのは米国がグローバリズムによって蝕まれたという被害者意識であり、トランプの米国第一主義の通奏低音となっている。大統領就任演説でトランプは「米国の殺戮はたった今ここで終わる」と述べ、他の演説でも「今やグローバリズムの時代は終わり、これからはナショナリズムの時代だ」と繰り返した。国家の指導者が自国の利益を第一に考えることは当然だとしても、トランプの掲げる米国第一主義は米国がこれまでに被った不利益を徹底的に取り戻すという宣言であり、より暗く、重い。レーガンが演説で一七世紀の清教徒の指導者ジョン・ウィンスロップの説教、とりわけ「丘の上の町（a city upon a hill）」という表現を好んで用いながら、楽観的で前向きな米国のビジョンを示し続けたのとは対照的だ。さらに言えば、レーガンは笑顔とユーモアを絶やさず、しばしば自らをジョークの種にした。それに対して、トランプは険しい表情が目立つ一方で、自らの弱点や過ちを決して認めず、批判には激しく応酬した。トランプのスローガンの一つ「米国を再び偉大に（Make America Great Again）」（ＭＡＧＡ）はレーガンが一九八〇年の大統領選挙で用いた「米国を再び偉大にしよう（Let's Make America Great Again）」を想起させるが、そのトーンは大きく異なる。

5　ペイリオコンと右派ポピュリズム

「米国第一」

トランプ以前にペイリオコンの立場を鮮明に打ち出した政治家の筆頭格に、パット（パトリック）・ブキャナンがいる。二〇〇一年に著した『病むアメリカ、滅びゆく西洋』（宮崎哲弥訳、成甲書房、二〇〇二年、原題 *The Death of the West*）では、白人の出生率低下や移民の「侵略（invasion）」によって、米国が二〇五〇年までに第三世界化すると警告。その一〇年後に出版した『超大国の自殺』（河内隆弥訳、幻冬舎、二〇一二年、原題 *Suicide of a Superpower*）では「自ら核抑止力を開発できる能力があるのに、なぜアメリカが核戦争のリスクを背負い続けなければならないのか？（中略）日本の核兵器保有は、日本を脅かす、ないし攻撃しようとしている国々の脅威となるにすぎない」と述べ、日本の核武装を容認。日本や韓国、ヨーロッパなどとの同盟関係を「不要」と切り捨てた。一七年には米国を「多文化、多民族、多人種、多言語の、バラク・オバマを化身とする「万国共通国家（universal nation）」」と記す一方で、ロシアのウラジーミル・プーチン大統領を「民族的ナショナリスト（ethnonationalist）」として高く評価。ロシアをキリスト教的世界の砦として擁護している。かつて彼が、ソ連を「悪の帝国」と糾弾したレーガンの大統領上級顧問を務めたことを想起すると、いかにも皮肉だ。

ブキャナンは共和党（一九九二、九六年）やアメリカ改革党（二〇〇〇年）から大統領選挙に出馬し、二〇〇〇年の大統領選挙ではトランプを破り改革党の指名を獲得している。当時はブキャナンを「ネオナチ」「極右以上」「ヒトラー崇拝者」などと批判したトランプだが、一六年の大統領選挙におけるトランプの主張はブキャナンと酷似。大統領就任後も反移民、反多文化主義、経済ナショナリズム、非介入主義の姿勢を鮮明にした。ブキャナンに比べると軍備増強には積極的だったが、同盟国への負担増を強く求めた点は同じだ。

「米国を再び偉大に」とともにトランプが愛用したスローガンに「米国第一（America First）」があるが、これも二〇〇〇年の選挙でブキャナンが用いたものだ。そこにはグローバリズムによって「古き良き米国」が蝕まれており、その防波堤としてナショナリズムを称揚するペイリオコンの世界観が内包されている。

とはいえ、歴史的に「クー・クラックス・クラン」（KKK）など白人ナショナリスト系の団体が「米国第一」を多用してきたのも事実だ。一九七〇年代にKKK系の有力団体の最高幹部を務めたデヴィッド・デュークは、二〇一六年のインタビューでトランプの躍進を称えつつ、

写真1-3　米国旗を大々的に掲げて行われたKKKのパレード（1925年8月8日，© National Photo Company Collection（Library of Congress））

「現代の政治家候補の中で「米国第一」という言葉や政策を最初に広めたのは自分」と豪語している。ただ、実際にはＫＫＫでは少なくとも一九二〇年代に「米国第一」がスローガンとして用いられている。また、第二次世界大戦への米国の参戦を危惧する市民が四〇年に創設した「米国第一委員会」（ＡＦＣ）のスポークスマンだったチャールズ・リンドバーグ（大西洋単独無着陸飛行に初成功した飛行家）は、「私たちと欧州の絆は政治的イデオロギーではなく人種によるもの」と述べるなど、ナチス政権との緊密な関係が指摘されていた。このように「米国第一」というスローガンには危うい含意が付きまとう。

ペイリオコンの思想的源流は二〇世紀前半

の南部農本主義など多岐に及ぶが、それらを体系化し、呼称を与えたのは政治哲学者ポール・ゴットフリードとされる。彼は二〇〇〇年代後半に若手の白人ナショナリストの代表格リチャード・スペンサーとともに、ペイリオコンをより政治的に先鋭化した「オルトライト」(もう一つの右翼、の意)という呼称を生み出したことでも知られる。スペンサーは一七年にバージニア州シャーロッツビルで行われた極右の大規模抗議集会の発起人の先頭に名を連ねていた人物だ。

ブキャナンに代表されるようにペイリオコンは冷戦末期から政治的に顕在化し始めたが、トランプ政権の高官だったスティーブン・バノン(大統領首席戦略官兼上級顧問)やスティーブン・ミラー(大統領上級顧問兼スピーチライター)もペイリオコンの系譜に連なるとされる。政党としては「アメリカ自由党」(AFP)が最もペイリオコンの立場に近い。「米国人を第一に」をモットーに「自由、主権、アイデンティティ、伝統」を重視する白人ナショナリスト政党だ。

変容する構図

図1-2(次頁)のノーラン・チャートは、米国の政治的イデオロギーを整理する際によく用いられる座標図である。指標として個人の自由(社会的自由)と経済的自由を置き、それぞれを重視する度合いに応じて「リベラル」「保守」「リバタリアン」「権威主義」の四象限に分類し、

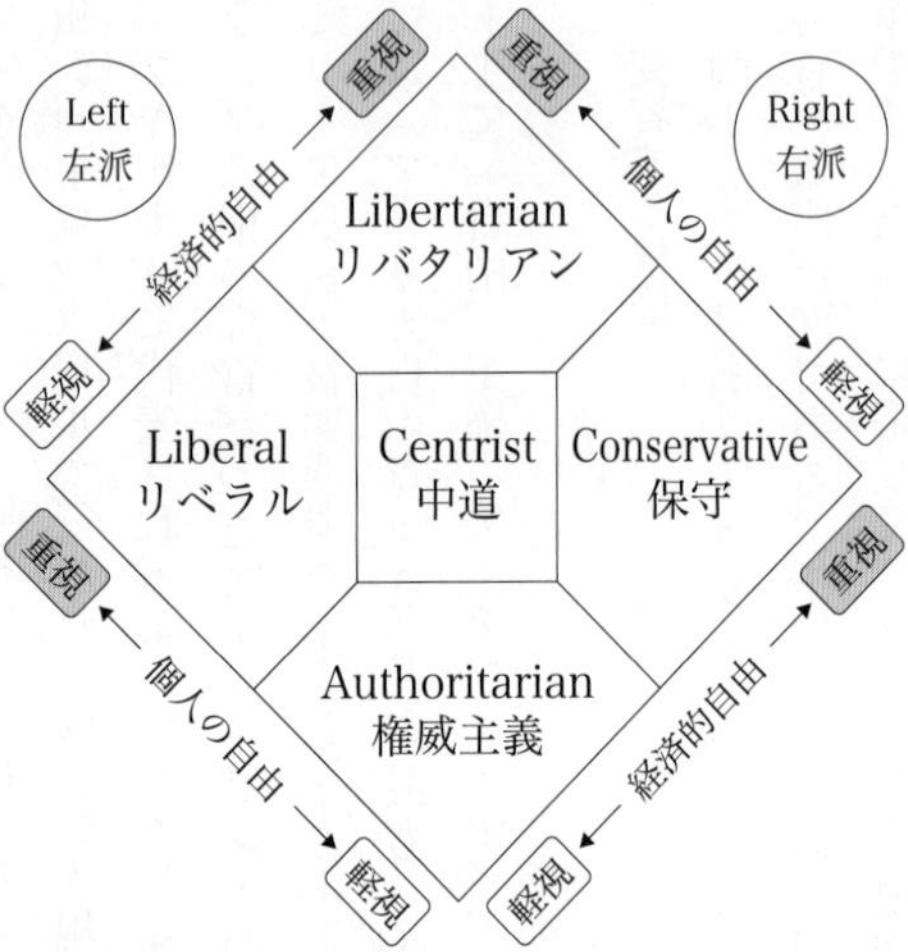

図1-2　ノーラン・チャート

中央に「中道」を設けている。

「リベラル」と「保守」を結ぶ横軸は「自由」を得るうえで政府の介入を「手段」と見なすか「障壁」と捉えるかを争点としており、上述してきたように「リベラル」は民主党、「保守」は共和党のイデオロギー的基盤となっている。

「リバタリアン」と「権威主義」を結ぶ縦軸は「自由」の基盤を「個人」に求めるか「共同体」に据えるかを争点としており、家族や地域コミュニティ、人種・民族、国家などの集合的アイデンティティを重視する立場が「権威主義」に該当する（文脈や程度に応じて「コミュニタリアニズム（共同体主義）」「ナショナリズム（民族主義、国家主義）」などとも表記される）。そうした共同体を破壊するものとしてグローバルなヒト・モノ・カネの流れに抗うペイリオコンはこの象限に位置付けることができよう。そして、従来「保守」政党だった共和党においてトランプが台頭し、「トランプ党」と称されるほどの影響力を保持していることは、「権威主義」が「保守」の象限を侵食しつつあることを意味する。二〇二〇年の大統領選挙の共和党大会で「保守」の顔とも言えるレーガン家やブッシュ家から誰一人として演説に招かれなかった点や、党としての政策綱領の策定そのものが見送られた点はいかにも示唆的だ。

従来、共和党は主流派と保守派に分かれていたが、トランプ旋風を受けて保守派そのものが主流派と同一視されるようになり、主流派とトランプ派（右派）が対立する構図へと転じた。トランプ派の中には白人ナショナリズムや陰謀論、ミリシア（極右武装勢力）を公然と支持する者もおり、その一部が二〇二一年一月に連邦議会議事堂を襲撃、トランプが敗北した大統領選挙の結果確定を妨害した。主流派の多くは事件後にトランプを非難したが、トランプ本人や支持者からの報復を恐れ、沈黙した者も少なくなかった（例えば、トランプが離党し、第三政党を立ち上げれば、共和党にとっては大打撃となる）。まさに民主主義の脆さを露呈した一幕と言えよう。

いずれトランプ本人が政治の表舞台から退くにつれ、主流派とトランプ派の権力闘争が顕在化する可能性は十分あり得る。

6　民主社会主義と左派ポピュリズム

「私たちは九九パーセントだ」

かたや「リベラル」の側では民主社会主義を掲げるバーニー・サンダース上院議員が二〇一六年の民主党予備選挙で一大旋風を巻き起こし、四年後の同選挙でも存在感を示すなど、左派の躍進が著しい。国民皆保険制度の導入、富裕層への増税、公立大学の無償化、学生ローンの帳消し、脱炭素社会と雇用創出を目指す「グリーン・ニューディール」の推進などが主たる訴えだが、その支持基盤の中心はミレニアル世代(一九八一～九五年生まれ)やその下のZ世代(一九九六～二〇一〇年生まれ)である。

この世代の多くにとって「アメリカン・ドリーム」は夢物語になりつつある。大学の学費は高騰し、卒業時に学生一人当たり約三万ドルの学生ローンを抱えている。その半面、社会の高学歴化に伴い、大卒の価値は薄れ、かつ雇用は不安定化。もはや大卒でなければ正規雇用すら厳しい。加えて、物心ついたときから格差社会の歪みや異常気象に伴う災害、学校での銃乱射事件などを目の当たりにしている。アフガニスタンやイラクでの戦争は泥沼化し、対アフガン戦争は米史上最長の二〇年間に及んだ。こうした問題の根源に資本主義の矛盾を見出し、新自由主義からの脱却を求める声が高まっている。冷戦時代を直接経験していない若い世代にとっては「社会主義」への拒否感は少なく、むしろ「社会正義」とほぼ同義である一方で、資本主義こそ「強欲」や「不正義」の権化に映る。

サンダース旋風の予兆としては二〇一一年の「ウォール街を占拠せよ」運動があった。それを主導したのも若い世代であり、「私たちは九九パーセントだ(We are the 99%)」をスローガンに貧困や格差の是正を求めた。全米最大の社会主義団体に「アメリカ民主社会主義者」(DSA)があるが、一六年に五〇〇〇人ほどだった会員は二一年には若者を中心に九万人以上に急増。一〇年の創刊時にはわずか二〇〇〇部だった民主社会主義系の季刊誌『ジャコビン』の発行部数は二一年には七万五〇〇〇部を記録し、オンライン版へのアクセスは毎月三〇〇万を超える。二一年六月の世論調査によると、社会主義に「好印象がある」と答えた回答者は全体の四一パーセントだったのに対し、一八～三四歳では五一パーセントに上る(Axios/Momentive Poll)。

左派から見ると、民主党の主流派は一九九〇年代のクリントン政権時代に新自由主義を採り入れ右傾化。ニューディール体制下で確立した「労働者の党」「社会的弱者の党」としてのア

写真1-4　DSAを支える若者たち
出所：DSAのHPより

イデンティティを放棄してしまった。ウォール街との癒着が指摘される主流派のヒラリー・クリントン元国務長官への不信感はとりわけ強く、二〇一六年の民主党予備選挙ではサンダースやエリザベス・ウォーレン上院議員らへの支持に回った（ウォーレンは最終的に予備選挙には出馬せず）。二〇二〇年の大統領選挙ではトランプ再選阻止の観点から本選挙では主流派のジョー・バイデン元副大統領（当時）のもとに結束したものの、基本的に対立含みである点は変わらない。

伝統的に左派は平和団体や人権団体、環境保護団体、労働組合、消費者団体などとの関係が深く、自由貿易に対しては懐疑的だ。クリントン政権の北米自由貿易協定（NAFTA）やオバマ政権の環太平洋パートナーシップ（TPP）協定などにも左派は反発。バイデン大統領もTPPへの復帰を打ち出せないでいる。加えて、一九六〇年代後半のベトナム反戦運動に象徴される反戦・平和の立場から軍備増強や「力の行使」にも否定的で、対イラク開戦を支持したヒラリー・クリントンなど主流派への不信を隠さない。

意外な共通点

こう俯瞰してみると、民主・共和両党において主流派の求心力が低下していることに気付く。民主党内ではサンダース旋風、共和党内ではトランプ旋風という左右のポピュリズム（反エリート的な大衆迎合主義）が台頭し、党内の主流派を批判。民主党では左バネ、共和党では右バネがそれぞれ強まるにつれ、超党派の協力はより一層困難になった。

興味深いのは左右のポピュリズムの共通点だ。たしかにサンダース流の民主社会主義とトランプ流の米国第一主義とでは、経済格差や社会保障、環境、人権、教育、信仰などをめぐり大きな認識や立場の違いがある。ほとんど水と油と言ってもよい。しかし、どちらも党内の主流派とは対照的に、グローバリズムへの不信を共有し、保護主義や孤立主義に傾きがちな点は同じだ。トランプ派の場合はそこに入国管理の厳格化や海外駐留米軍の撤退・縮小が、サンダース派の場合はトービン税（金融取引税）の導入や国防費の削減がそれぞれ加わる。二〇一六年の大統領選挙ではサンダース支持者の約一五パーセントが、ヒラリーではなく、トランプに票を投じている。イデオロギー上の両極が奇妙な合致を見せる好例だ。

ちなみに左派が権威主義と強固に結びついた例としては、「国家」を優先したソ連や東ドイツの国家社会主義、「人種・民族」を重視したナチスの国民社会主義が挙げられる。サンダース自身は民主社会主義の「民主」を強調することで両者と一線を画している。たしかに「生産手段の社会(国有)化」などを唱えているわけでもなく、政策的にはヨーロッパにおける社会民主主義の立場に近い。イギリスの労働党に喩えるなら、ビル・クリントンやオバマ、バイデンがニュー・レイバー(トニー・ブレア元首相ら)であるのに対し、サンダースはオールド・レイバー(ジェレミー・コービン元党首ら)といったところだろうか。

7　異彩を放つリバタリアン

こうした反グローバリズムの対極に位置するのがリバタリアニズム(自由至上主義)である。自由市場・最小国家・社会的寛容を重んじ、人種や民族、宗教、ジェンダー、ナショナリズム、ポピュリズムなどの集合的な属性や力学によって個人の自由(社会的自由)が制約されることや、増税や規制強化、保護貿易などによって経済的自由が棄損されることを嫌う。つまり、社会的にはリベラル、経済的には保守で、グローバルなヒト・モノ・カネの流れを肯定的に捉える。

二〇〇九年、オバマ政権の経済政策(リーマンショックで破綻した企業の救済策や大規模な景気刺激策)やオバマケアなどに抗うティーパーティ(茶会)運動が全米各地に広がったが、当初、その主導的役割を果たしたのはリバタリアン系の団体だった。トランプ政権による大規模な減税や規制緩和は評価しつつも、財政規律の放棄や軍備増強には批判的だった。規制強化や公共事業に前向きな民主党も、厳罰化や軍備増強に積極的な共和党も、リバタリアンにはともに「大きな政府」に映る。

もっとも、その内実は様々で、例えば、政府の役割に関しては——

①古典的自由主義……「大きな政府」を否定しつつも、政府の役割そのものには肯定的。ジョン・ロックやアダム・スミスらを起源とし、二〇世紀にフリードリヒ・ハイエクやミルトン・フリードマンらによって体系化された。いわゆる「小さな政府」論で、経済的には共和党の経済保守の立場に近い。

②最小国家主義……政府の役割は国防・司法・治安に限定されるとする。ロバート・ノージックらが体系化。

③無政府資本主義……政府の存在を認めず、警察や裁判などあらゆるサービスの民営化を唱える。マレー・ロスバードやデヴィッド・フリードマン（ミルトン・フリードマンの息子）らが体系化。

などの立場がある。

政府不信の根底には、そもそも社会は政府が理解するより遥かに複雑で、社会の規模が大きくなるにつれ、政府の施策は現場のニーズから乖離し、硬直化するとの認識がある。と同時に、政府はすぐに肥大化し、その権力は必ず腐敗するとの疑念も強い。リバタリアンの多くは資本主義の現状を肯定しているわけではない。むしろ、独占や寡占、あるいは政府の補助金や規制によって、市場本来の調整メカニズムが歪められていると見る。貧困や格差、移民、環境など個別具体論になればなるほど、「自由」の解釈の幅も広くなり、例えば、リバタリアンの中には個人のセーフティネットとしてベーシックインカム（最低限所得保障制度）の必要性を説く一派もある。

リバタリアン系の代表的シンクタンク「ケイトー研究所」の二〇一七年の報告によると、有権者に占めるリバタリアンの割合は七〜二三パーセントの範囲内で、おそらくは一〇〜二〇パーセントとしている。政党としては一九七一年に結成されたリバタリアン党（ＬＰ）があり、民主党、共和党に次いで三番目に大きい政党だが、党員登録者数は民主・共和両党がそれぞれ数千万人規模なのに対し、わずか七〇万人程度に過ぎない。実際には、民主党か共和党のどちらかに投票し、それぞれの内側から党の綱領や候補者に影響力を及ぼそうとするのが一般的だ。それゆえリバタリアン党としての影響力はほぼ皆無に等しいが、有権者層としては決して看過できない。インターネットの登場、とりわけブロックチェーン（分散型ネットワーク）技術の発展は、国境を超えたリバタリアン的世界をさらに拡張しており、デジタル・ネイティブの世代の若い感性との親和性を深めている。

もっとも、イデオロギー的には権威主義の対極に位置するものの、ここでも両極が奇妙な合致を見せる場合がある。外交政策が好例だ。リバタリアンの多くは、米国の介入主義が各地で反米感情を高め、かえって米国の安全を損ねていると批判。軍備増強や戦争が財政規律を乱し、市民的自由を奪うことを危惧する。それゆえ、対イラク戦争を主導した安保保守とは激しく対立した。こうした孤立主義的な姿勢はペイリオコンの自国第一主義と重なる。

また、リバタリアンの多くは言論の自由を制限するとしてポリティカル・コレクトネス（ＰＣ。政治的正しさ＝妥当性）に反対する。この点は、ＰＣによって「古き良き米国」が破壊されているとするペイリオコンの主張と（論拠は異なるが）合致する。それゆえ、リバタリアンからペイリオコンや白人ナショナリズムなど権威主義の象限に転向する者も珍しくない。ティーパーティ運動にも次第にそうした勢力が混在するようになり、リバタリアンの関与は大きく後退していった。同運動は二〇一五年に共和党下院に結成された議員連盟「フリーダム・コーカス」の母体となり、同党主流派のジョン・ベーナー下院議長を辞任に追い込んだ。逆に、トランプとは蜜月関係を築くに至り、同議連のマーク・メドウズは大統領首席補佐官に抜擢された。

8　トライバリズムの時代

要するに、ペイリオコンの隆盛とともに「権威主義」が勢いを増し、「保守」はそれに引っ張られる形で右バネを強めている。かたや、若い世代を中心に「リベラル」では左バネが強まり、「リバタリアン」も存在感を高めている。その一方で、長年、米政治を牽引してきた主流派＝「中道」が求心力を失い、対立や分断に拍車をかけている。

もっとも、米国の歴史は対立や分断の連続であり、かつて一度たりとも世論が一つにまとまったことはない。そのこと自体は必ずしも悪いことではなく、民主主義国家の健全な姿であるとも言える。しかし、今日の米国が直面しているのは求心力を欠いた状態での対立や分断であり、政治的なトライバリズム（部族主義）とも称すべき状況である。トライバリズムとはここでは、各自が自らの集団の中に閉じこもり、自らを被害者と見なし、他の集団を敵視し、罵倒し、封殺しようとすることを指す。自らと同じ主義主張の者同士が共鳴しやすいソーシャルメディアがこうした傾向を助長している。

もちろん、これは米国固有の現象ではない。ヨーロッパにおいてもミドルクラスの縮小や経済格差の拡大、移民・難民の増大などにより、ナショナリズムやポピュリズムが台頭している。イギリスのＥＵ離脱はその典型だが、脱共産化の象徴だったポーランドやハンガリーでも権威主義が台頭し、司法の独立性や報道の自由が脅かされている。さらには中国やロシア、トルコ、インドなどでも自国が繁栄していた時代への郷愁（ノスタルジア）がナショナリズムやポピュリズムと結びつき、政治の道具と化している。

その背景には、技術革新がもたらす産業構造の転換、グローバルなヒト・モノ・カネの流れの加速、人口構成の変容、さらには地政学・地経学的な再編など、マクロな構造的変化が存在する。超大国・米国もこうした変化の波に晒されており、国際的な地位や影響力のみならず、国民国家としての文化的統合や政治的求心力の維持に苦慮している。これは大統領が一人代わ

った だけで解消できるような問題ではない。
権威主義国家であれば言論や民意を統制することで国民の結束を演出することも可能かもしれない。しかし、民主主義国家にとってそれは自己破滅的な行為に他ならない。その一方で、対立や分断がここまで深化した民主主義国家が協調メカニズムを回復した事例はなかなか思い浮かばない。世論の裂け目からナチスが台頭したドイツが民主主義国家に生まれ変わった例はあるが、それは戦争（敗戦）という大きな代償を伴うものだった。たしかに、戦争や大災害など国家的危機が否応なしに国民の結束を促すことはあるが、少なくとも米国の場合、新型コロナウイルス（COVID-19）という国民の生命（いのち）と財産（くらし）を脅かす危機に直面しても協調メカニズムが回復することはなかった。それどころか、マスク着用やワクチン接種といった基本的な防疫行為そのものが国民の亀裂を深めてしまったことは記憶に新しい。中国の台頭やロシアのウクライナ侵攻に関する危機感は広く共有されているが、今のところ、トライバリズムを克服する契機にはなっていない。次章ではこうした対立や分断の現状をより具体的に考察してみたい。

第2章

ラディカル・アメリカ

警察官による殺害事件から3年目を迎えた現場．現在は，「ジョージ・フロイド広場」となっている(ミネアポリス，2022年5月28日，筆者撮影)

1　コロナ禍の政治学

コロナ禍がなければ？

危機は社会の矛盾を露わにする。その意味で、コロナ禍や人種問題、そして大統領選挙をめぐる混乱などが相次いだ二〇二〇年は現代米国を読み解くうえで重要な年となった。

コロナ禍に関しては世界最大の感染国となり、米ジョンズ・ホプキンズ大学の集計（二〇二二年六月二五日時点）によると、累計感染者数は約八五〇〇万人、死亡者数は約一〇一万人。それぞれ日本の約九・五倍、約三三倍にあたり、ともに世界全体の約一六パーセントを占めるに至った。死亡者数は退役軍人省が発表している第二次世界大戦（一九四一～四五年）の戦闘死者数の三倍に及ぶ。

トランプ大統領は当初からコロナの脅威を軽視。再選へ向け自らの最大の強みである経済（株価と雇用統計）を優先し、科学より政治を重視し続けた。感染が急拡大し、支持率の低下が顕著になると、新型コロナウイルスを「中国（武漢）ウイルス」と呼び、中国政府の初動対応を非難するようになった。それまで米中間の通商合意（いわゆる第一次合意）を優先する立場から中国のコロナ対応を賞賛してきた態度は一変。対応が中国寄りだとして世界保健機関（ＷＨＯ）からも脱退した。自らがコロナ感染から回復した後も大規模な選挙集会を繰り返し、マスク着用を国民に強く呼びかけることはなかった。結果的にはコロナ禍の影響で期日前投票が大幅に増加し、マイノリティやエッセンシャルワーカー、若者などの票が民主党を利する形になり、トランプは敗れた。コロナ禍がなければ、それまでの好調な経済を背景に、トランプが再選を果たせたとする選挙コンサルタントは少なくない。

とはいえ、コロナ禍が図らずもトランプの主張に一定の正当性を与えた面もある。すなわち、グローバリズムによってヒトの移動が加速し、それに伴い新型コロナウイルスも瞬く間に世界に拡散した。加えて、サプライチェーン（供給網）がグローバル化した結果、中国へのマスク依存度が高まり、感染対応に支障をきたした、等々。こうした認識が国境管理の厳格化、サプライチェーンのデカップリング（切り離し）、国際機関や他国との関係見直しを唱えるトランプ流の米国第一主義の訴求力を高めた。

また、二〇二〇年秋に大統領選挙を控えていたこともあり、与野党は同年三月に二・二兆ドルに上る米史上最大規模の経済対策をまとめ、トランプもこれに署名した。〇八年のリーマンショック後、オバマ政権が八〇〇〇億ドル規模の景気刺激策を講じた際に共和党が猛反発したことを想起すると隔世の感がある。トランプ政権下で財政赤字と連邦債務は膨張の一途を辿ったが、共和党内から財政規律を求める声はほとんど聞かれなくなった。こうして「小さな政府」を金科玉条としてきた「保守」は説得力を失い、共和党の「トランプ党」化が進んだ。

かたや、コロナの感染拡大の様相が所得や人種、男女の格差などと相関している点や、医療保険制度や病気休暇制度の不備などが浮き彫りになった点は、民主党内で影響力を増す左派の民主社会主義の主張に正当性を与えた。生態系の破壊や生物多様性の喪失が新たな感染症の出現と密接に結びついているとの指摘も然りだ。二〇二〇年の民主党予備選挙ではサンダースが序盤で優位に立ったものの、「キューバのカストロ政権を擁護する発言をしたサンダースは極端すぎる」「社会主義者のサンダースでは本選挙でトランプに勝てない」と危惧する主流派が連携し、最終的にはバイデンが党の指名を獲得した。しかし、バイデンは党内結束を図る必要から左派に一定の配慮を示し、大統領就任後は巨額の財政出動、地球温暖化対策、人権外交などを推し進めた。政府調達で米国製品を優先する「バイ・アメリカン」条項の適用を強化する大統領令への署名などの経済ナショナリズム重視の姿勢は、トランプ流の米国第一主義とサンダース流の民主社会主義の双方と重なり合うものだった。

勢いづくリバタリアン

コロナ禍で際立ったのがリバタリアンの反応だった。二〇二〇年春以降、各州の知事による

写真 2-1　ミシガン州議会議事堂への乱入事件
(2020 年 4 月 30 日，© JEFF KOWALSKY/AFP)

厳しい外出制限に抗議するデモが全米各地で相次いだが、それを主導したのがリバタリアンだった。そこにトランプ大統領も加勢し、ミシガン州やミネソタ州、バージニア州の「解放」を訴えた。いずれも民主党の知事を擁しており、とりわけトランプ批判の急先鋒だったミシガン州知事への舌鋒は激しかった。リバタリアンの抗議運動にはミリシア(極右武装勢力)や無政府主義者、白人ナショナリスト、陰謀論者を含むトランプ支持者も加わるようになり、ティーパーティ運動のときと同様、活動の性格が変容していった。ミシガン州では「スリーパーセンターズ」——名前は米独立戦争で武器を手に取って戦った入植者が三パーセントだった(と彼らが主張している)こと

に由来する――などのミリシアが州議会に押し寄せ、のちに同州知事の拉致を企てた一三人が逮捕された。

もっとも、感染防止と経済再開の両立はどの国にとっても難題であり、個人の自由を強調するだけで解決できるとは考えにくい。その意味で、コロナ禍はリバタリアニズムの正当性を揺さぶり続けた。

リバタリアンの応答は様々だが、政府の存在そのものを認めない強硬派は、危機に便乗して政府が肥大化・強権化することを警戒。マスク着用やワクチン接種、ロックダウンなどの措置にはとりわけ強く反対した。しかし、全体としては、コロナ禍は国家的危機であるがゆえ、国民の生命と財産を守る存在として、政府に一定の役割を認めるとの意見が主流だ。自らの感染によって他人の自由を奪わぬよう、そして他人の感染によって自らの自由が奪われぬよう、そうした防疫措置を支持するリバタリアンは少なくない。

むしろ目立ったのは、政府の硬直化した規則やライセンス、税制、業界との癒着(自由市場の歪曲)などによって臨機応変な対応が阻まれたとの主張だ。その結果、民間や大学の研究所によるウイルス検査や臨床実験の実施、州をまたいだ医師の診療、ワクチン接種の打ち手確保などが遅れ、感染者や死亡者を増加させてしまったという。その一方で、コロナ禍によってデジタルトランスフォーメーション（DX。デジタル技術による生活やビジネスの変革）が加速し、暗号通貨やチャーターシティ（既得権益者のいない理想的な制度を最初から実装した都市）の導入が広がり、国境を超えた、より市民主体の「自律・分散・協調」を重んじるネットワーク型の世界に近づくと期待する声も少なくない。

第一章で述べたように、リバタリアンの多くは現実的な観点から共和党か民主党のいずれかに投票する。リバタリアン党の影響力はほぼ皆無に等しく、長年、大統領選挙におけるリバタリアン党の得票率はわずか〇・五パーセント前後だった。しかし、近年は二大政党に対する不満の受け皿として増加傾向にあり、二〇一六年は過去最高の三・三パーセントを記録。共和・民主両党の得票率の差がわずか二・一パーセントだったことを考えれば、弱小政党とはいえ侮れない。とりわけ選挙結果を大きく左右したミシガン州やウィスコンシン州では共和党のリードはそれぞれ〇・二パーセント、〇・八パーセントに過ぎなかったのに対し、リバタリアン党は両州ともに三・六パーセントを獲得している。二〇年の大統領選挙ではリバタリアン党への投票がトランプに漁夫の利を与えかねないとの懸念もあり、得票率は一・二パーセントに減少した。しかし、民主党勝利の鍵となったアリゾナ州やジョージア州、ウィスコンシン州でリバタリアン党はそれぞれ一・五パーセント、一・二パーセント、一・二パーセントを記録。民主・共和両党の得票率の差はそれぞれ〇・三パーセント、〇・二パーセント、〇・六パーセントに過ぎず、もしこの三州を共和党が制していたらトランプは再選されていた。民主・共和両党の勢力が拮抗する中、激戦州では勝敗を左右するキャスティングボートを握る場面も出てきている。

このようにコロナ禍という国家的危機を前に、権威主義、民主社会主義、リバタリアニズムはそれぞれ独自の意味付けを行い、自らの主義主張と政治的立場を強めていった。コロナ禍が米国の求心力ではなく遠心力を助長した背景がここにある。

2 先鋭化する陰謀論

「コロナは現実ではない」?

二〇二一年に入ると米国ではワクチン接種が急速に進み、新規感染者数や死亡者数も大幅に減少。経済再建も本格化し、米国の復元力や底力の強さを国際社会に印象付けた。しかし、地域によるばらつきも大きく、例えば、南部や西部など共和党優位の保守的な地域ほどワクチン接種率は低く(図2-1)、最も高いバーモント州と最も低いミシシッピ州の二回接種完了率はそれぞれ七九パーセント、四九パーセント(二〇二二年一月末時点)。ちなみに米国全体では六四パーセント、日本は七九パーセントだった。郡単位で見ても、二〇二〇年の大統領選挙で民主党票が多数派を占めた郡の平均二回接種完了率は五二・八パーセント、共和党票の場合は三九・九パーセントだった(二〇二一年九月一三日時点、カイザーファミリー財団HP)。

保守的な地域では協力に応じない州や自治体も少なくなかった。オハイオ州の議会共和党はワクチンが人を磁化させ得ると主張する医師を公聴会に招き、モンタナ州議会の共和党議員はワクチンにマイクロチップが入っているとする記事を手に反接種を唱えた。テネシー州では、未成年であっても両親の同意なしにワクチン接種が可能とした州最高裁の判決に従った州の予防接種担当医長が議会共和党によって解任された。この医師は「(ワクチン接種を)最も躊躇しているのは地方の保守的な白人男性で、「コロナは現実ではない」「コロナは脅威ではない」「ワクチン接種は左派を勢いづける」といった政治的イデオロギーで行動している」と批判した

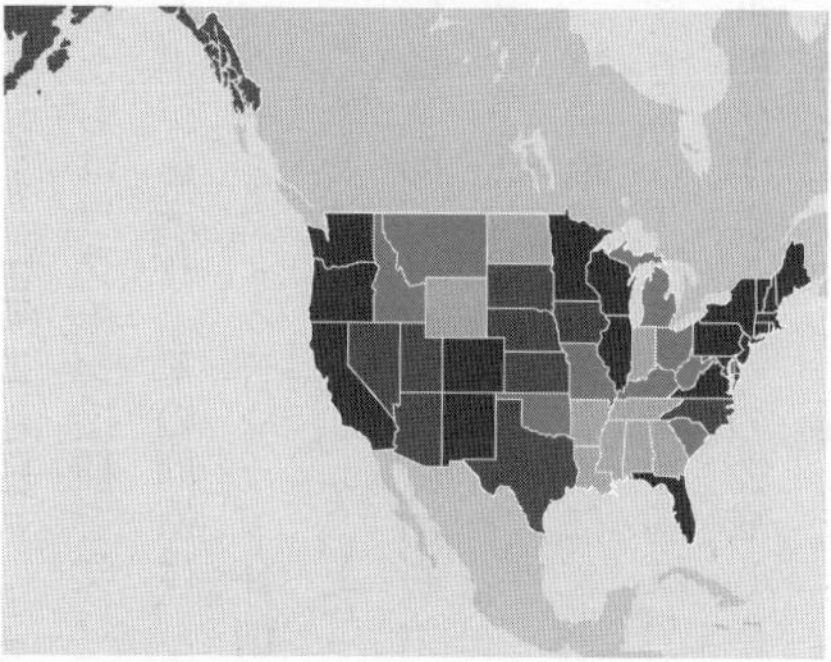

図 2-1　メイヨークリニックが作成した州ごとのワクチン接種完了者の割合．色が濃いほど高い(2021 年 4 月 17 日現在)
出所：メイヨークリニックの HP より作成

（NBC News, July 14, 2021）。ミズーリ州議会の共和党議員はコロナの陽性反応が出た際、「ええ、私たちはワクチン接種を受けていません。私たちは共和党員です」と同僚議員にSNSでメッセージを送り、その同僚は、ウイルスが国立アレルギー・感染症研究所所長のアンソニー・ファウチとマイクロソフト社創業者のビル・ゲイツによって開発されたとしたうえで、彼らは「何が起こるか分かっていた」と応答していた（ProPublica, July 21, 2021）。このように、ワクチン接種そのものが民主党の政治戦略と同一視され、両党間の文化戦争（アイデンティティや価値をめぐる相剋）の争点となった。

第一章で述べたように、米国は個人の自由や権利を重んじる近代啓蒙思想に立脚した実験国家である。特定の知や制度が強大な権威や権力を有することや、特定の権威や権力が固定化・世襲化することへの警戒心がもともと強い。歴史学者リチャード・ホフスタッターはそうした姿勢を「反知性主義（anti-intellectualism）」と称した。とりわけ米国流「保守」は社会工学的発想に基づく「大きな政府」を否定すると同時に、近代的・科学的・合理的な知の過剰を警戒してきた。ワクチン接種に対する共和党の懐疑は進化論や地球温暖化に対するそれと重なる。

そして、党派対立の深化に引きずられる形で、科学に対する信頼度も両党間で大きく乖離している。米ギャラップ社の調査によると、レーガン保守革命以前の一九七五年の時点では民主党支持者の六七パーセントに対し、共和党支持者の七二パーセントが科学を信頼していた。しかし、二〇二一年の時点でその割合は民主党支持者が七九パーセントに増加しているのに対し、共和党支持者では四五パーセントに激減している。米国全体でも二一年には六四パーセントで、一九七五年から六パーセント減となっている(Gallup, July 14, 2021)。科学技術大国の意外な一面だ。

「Qアノン」現象

科学への信頼低下は偽情報や陰謀論が蔓延《はびこ》りやすい状況を生み出している。近年、最も注目を集めたのは「Qアノン」現象であろう。「Q」は米国の機密情報を知る立場にある政府関係者とされ、トランプこそは米政治を裏で操る「闇の政府(deep state)」――民主党やリベラル派の知識人、メディア、政府高官、ハリウッドのセレブなどによる秘密のネットワーク――と闘う救世主だと位置付けている。「アノン」とは「アノニマス(anonymous)」の略で、匿名や偽名でインターネットへの書き込みを行っている人々を指す。つまり、Qアノンとはネットを舞台にした「Q」の信奉者を意味する。「民主党の有力者が児童性愛の闇営業を行っている」「コロナウイルスはビル・ゲイツがトランプを貶めようと作ったものだ」「コロナウイルスなど存在しない」……。Qアノンの主張内容はあまりに荒唐無稽なものが多い。米公共宗教研究所（PRRI）の調査（二〇二一年七月）によると、新型コロナワクチン接種を「躊躇」している人の二二パーセント、「拒否」している人の四二パーセントがQアノンだという。

二〇二〇年の大統領選挙でQアノンは国政の中枢である連邦議会にも進出した。最も著名なのはジョージア州選出のマジョリー・グリーン下院議員で、過去にはSNSに次のような投稿を行っている。

- （米国史上最悪の五八人が死亡した）二〇一七年のラスベガス銃乱射事件は銃規制活動家の仕業だった。
- 悪魔崇拝の活動家がワシントンのピザ屋で児童性愛を営んでいるという陰謀論は実在するかもしれない。ヒラリー・クリントンは少女を殺害してその血を飲む儀式に参加していた。
- （ユダヤ系の大富豪でリベラル派の）ジョージ・ソロスはユダヤ人をナチスに引き渡したが、彼自身もナチスである。
- 黒人は民主党の奴隷である。
- 白人男性は米国で最も抑圧されている集団である。

・オバマはイスラム教徒である。

グリーンは熱心なトランプ支持者で、トランプが敗れた二〇二〇年の大統領選挙の不正を訴え続けた。トランプがグリーンを「戦士だ」と称える一方で、下院共和党会議議長のリズ・チェイニー——ジョージ・W・ブッシュ政権で副大統領を務めたディック・チェイニーの長女——はグリーンの投稿を「反吐《へど》が出る」と述べ、Qアノンを「危険な狂気」と一蹴。トランプ支持者による連邦議会議事堂襲撃も強く批判した。こうしたチェイニーの姿勢は「トランプ党」化した共和党内から反発を買い、議長職を追われる羽目になった。

写真 2-2　トランプと面会するマジョリー・グリーン下院議員（2021 年 3 月 31 日にグリーンが自らのツイッターに投稿）

米国では立候補の時点で党の公認は必要なく、党内の予備選挙の勝者が公認を受けるのが一般的だ。開放的な制度ではあるが、党による事前審査がない分、グリーンやトランプのような過激なアウトサイダーが台頭する余地も大きい。

陰謀論にどう向き合うべきか

ホフスタッターは一九六四年に発表した論考「米政治におけるパラノイア的手法」("The Paranoid Style in American Politics")において、米国では左右を問わず、反エリートの感情に突き動かされた「激しい誇張、疑念、陰謀論的空想」が、まるで一種の強迫観念のごとく、断続的に政治を動かしてきたと説いた。それに対し著述家ジェシー・ウォーカーは、ホフスタッターが政治的パラノイアを「少数派の運動にのみ好まれる手法」と捉え、ホフスタッターのような「良識ある人々」「冷静な穏健派」には無縁であるかのように考えている点を批判。米国人は自らとは「異質」の相手を常に陰謀論の首謀者としてきたとしている(Jesse Walker, *The United States of Paranoia*, 2013)。

興味深いのは歴史学者キャスリン・オルムステッドの指摘だ。彼女によると、一九一〇年代以前の陰謀論は、主に民族的・宗教的な少数派を首謀者としていたのに対し、第一次世界大戦前後から連邦政府の権限が強まるにつれ、政府を最大の脅威と見なす陰謀論が目立ち始めたという(Kathryn Olmsted, "Conspiracy Theories in the United States," in Joseph Uscinski(ed.), *Conspiracy Theories & the People Who Believe Them*, 2019)。たしかに、革新主義の時代には連邦捜査局(ＦＢＩ)

の創設(一九〇八年)、累進的所得税の導入(一九一三年)、連邦準備制度の創設(同年)、禁酒法の制定(一九二〇年)、女性参政権の拡張(同年)などが相次いだ。建国当時から中央政府に対する懐疑心が強かった米国は、もともと反政府系の陰謀論が拡散しやすい政治風土だったと言えるが、過去一世紀はとりわけそうだったのかもしれない。

事実、米国では二〇世紀以降、「アポロ11号の月面着陸は米政府の捏造だった」「二〇〇一年の米同時多発テロ事件は米政府の自作自演だった」「米外交問題評議会(CFR)やビルダーバーグ会議、三極委員会などが「影の世界政府」を形成している」など、反政府系の陰謀論が多く流布してきた。一九五〇年代には反共産主義の「赤狩り」が席巻し、一九九五年には陰謀論に駆られた元米兵がオクラホマ州の連邦政府ビルを爆破。二〇二一年の連邦議会議事堂襲撃事件ではQアノンの関与も明らかになっている。

「独立独歩」や「自己実現」が奨励される社会風土ゆえ、「奴ら」が自分の人生を阻害しているとの強迫観念も働きやすい。一九九〇年代からは政治的な分極化が進み、「対話」よりも「対立」モードが先鋭化。社会的紐帯そのものも人種や民族、ジェンダー、宗教、学歴、所得、地域などで分断された。SNSなど新たな情報環境が社会のタコツボ化や政治的なトライバリズムを助長した面もある。

写真2-3 「Q」の文字がプリントされた上着を着て連邦議会議事堂襲撃デモに参加する男性（ワシントンDC，2021年1月6日，© ZUMAPRESS.com/amanaimages）

そこにコロナ禍が加わった。巣籠もり状態が続き、先行き不安が募る中、インターネットに依存する時間が増えた。Ｑアノンを支持する政治家たちが本気で陰謀論を信じているのかは分からない。しかし、「奴ら」を作り出し、敵対視し、有権者の怒りを焚き付ける手法が蔓延りやすい政治状況にあることは確かだ。トランプ自身、「オバマは米国生まれではない」との偽情報を流布する出生(Birther)運動に加担した経緯があり、しかも支持基盤の一つであるＱアノンの主張を否定しなかったことで、結果的に陰謀論にお墨付きを与える格好になった。

こうした陰謀論とどう向き合うべきか。二〇一六年の大統領選挙で民主党候補のヒラリー・クリントンはトランプを支持する陰謀論者や白人ナショナリストらを「嘆かわしい連中(basket of deplorable)」と斬り捨てたが、逆に反発を強めただけだった。ＦＢＩは「国内テロにつながる恐れがある」としてＱアノンを警戒。フェイスブックやツイッターなども、関連するアカウントを凍結するなど監視を強化した。しかし、こうした対応には陰謀論者の大義をかえって正当化してしまうリスクが常に付きまとう。無論、陰謀論を放置するリスクはさらに高い。

仏文学者・渡辺一夫は「寛容は自らを守るために不寛容に対して不寛容になるべきか」という有名な問いを提起した。第二次世界大戦後の日本の特殊な政治状況下での問いかけだったが、渡辺は不寛容に対しても寛容であることを選んだ。不寛容に対して不寛容をもって対応すれば、相手と同じ土俵に乗ることになり、不寛容のスパイラルを増すだけというわけだ。

陰謀論者として生まれてくる者はいない。陰謀論者の主張に同意する必要は全くないが、彼らが何故に過激な言説を信じるに至ったのか、理解しようとする姿勢は不可欠だろう。相違点だけではなく、共通点を探ることも重要だ。いきなり相違点のみを俎上に載せれば対話は直ちに決裂する。

さらに言えば、他者(ないし社会、世界)を認識する際、何かしらの枠組みを作り、そこに適合する事象を探そうとするのは止むを得ないことだ。その過程において、陰謀論的な枠組みに寄ってしまうこともあろう。つまり、人間が絶えず外界を意味付けながら生きている以上、誰しも陰謀論に陥る可能性はあり、また、それを自ら陰謀論と認めることは必ずしも容易ではない。

作家アルベール・カミュは「われわれはみんなペストの中にいるのだ」と記した。ペスト＝悪は外部にあるのではなく、自ら生きることに内在しているという意味だ。ならば私たちも絶え間ない陰謀論の中で生きていかざるを得ないのかもしれない。もちろん、他者を不当に貶める陰謀論が意図的に流布される状況を看過してはならないが、自らが（予期せぬ形であれ）陰謀論に加担していないか、常に自省する必要はありそうだ。

3　BLM運動をめぐる攻防

BLM運動が引き出したもの

二〇二〇年の米国が直面したもう一つの危機は人種問題であり、とりわけ黒人の尊厳を訴える「ブラック・ライブズ・マター」（BLM）運動は世界的な注目を集めた。

もともとは二〇一二年にフロリダ州オーランド郊外で起きた自警団による黒人少年射殺事件を契機に、人種差別を告発するSNS上でのハッシュタグの拡散から始まった。それが大きなうねりとなったのは、二〇年五月にミネソタ州ミネアポリスで起きた白人警官による黒人男性

写真 2-4　ニュージャージー州ジャージーシティのグランドストリートに描かれたBLMの特大スローガン(2020年8月11日, © Sipa USA/amanaimages)

ジョージ・フロイドの暴行殺害事件だった。「息ができない」と絶命するまでの一部始終をスマートフォンで撮影した女子高校生の動画は瞬く間に拡散。全米のみならず日本を含む世界各地で、人種や民族、ジェンダー、宗教などをめぐる差別への抗議運動が広がった(例えばインドネシアでは、パプア系住民に対する差別撤廃を呼びかける「パプアン・ライブズ・マター」(PLM)運動が生じた)。

一九六〇年代の公民権運動とは異なり、マーティン・ルーサー・キング牧師のようなカリスマ性のある中心人物がいたわけではない。むしろSNSなどを駆使した草の根の運動を支えたのはミレニアル世代やその下のZ世代の若者だった。六〇年代と比べて黒人以外の参加者も格段に増えた。また、グーグルやアマゾン、ネットフリックス、ゴールドマン・

サックスなど米国を代表する企業も連帯を表明した。

　公共施設における人種差別や公立学校における人種隔離を禁止した一九六四年の公民権法、黒人の投票権を侵害している州・自治体への連邦政府の介入を容認した六五年の投票権法など、六〇年代の公民権運動は直接的な権利の獲得・保障を目標とした。それに対してＢＬＭ運動は、人種差別が警察や刑事司法のみならず、教育や雇用、住宅、医療など広汎に及び、かつ不可分に絡み合っている点を告発。より制度的かつ体系的な差別是正を訴えた。とりわけ黒人やヒスパニック系、先住民などの間でコロナ禍がより深刻化する現実はＢＬＭ運動に一層の説得力を与えた。

写真 2-5　ジョージ・フロイド広場にて（ミネアポリス，2022年5月28日，筆者撮影）

　しかし、フロイド事件のような悲劇を前にしても、米国は結束できなかった。トランプ大統領は「法と秩序（law and order）」の名の下にデモ参加者を「暴徒」「極左」「無政府主義者」と糾弾し、「略奪が始まれば、発砲が始まる（when the looting starts, the shooting starts）」と警告。ホワイトハウス前のデモ隊を強制排除し、デモ鎮圧のために米軍（連邦軍）派遣も辞さない方針を表明した。フロイドの遺族やデモ参加者に寄り添う姿勢は乏しく、一貫して警察の側に立ち続けた。マイノリティが公正な法や秩序を享受していない点を問題視するデモ参加者との意識の乖離が露わになった。

「法と秩序」はトランプが二〇一六年の大統領選挙時から好んで用いた表現だが、米国では奴隷制や人種差別を正当化する際に用いられてきた歴史がある。一九六八年の大統領選挙ではニクソンが、公民権運動やベトナム反戦運動に不安を抱く白人保守層に訴えるための「犬笛」として使用。「略奪が始まれば、発砲が始まる」は六七年にフロリダ州マイアミ市警の本部長（白人）が公民権デモを取り締まる際に用いた一節だ。同本部長は警官が銃や警察犬で黒人を威嚇する強硬策を奨励したことでも知られる。

トランプは二〇一七年にバージニア州シャーロッツビルで白人ナショナリストと反対派が衝突し死傷者が出た事件の際も、「一方に悪い集団がいて、もう一方にも非常に暴力的な集団がいた」と述べ、双方に責任があるとの認識を示した。二〇年の大統領選挙の討論会で司会者から「白人ナショナリストやミリシアを拒絶するか」と問われ、バイデンが極右団体「プラウド・ボーイズ」を例に挙げると、「プラウド・ボーイズよ、下がって待機せよ」と答え物議を醸した。プラウド・ボーイズは男性の入会のみ認める武闘派で、創設者は、一九六〇年に東京・日比谷公会堂で演説中の社会党委員長・浅沼稲次郎を刺殺した右翼少年・山口二矢を激賞。自ら山口に扮した事件の寸劇を動画に投稿している。

ＢＬＭ運動に対する不信感はトランプ支持者や共和党内でも広く共有されていた。米ピューリサーチセンターの調査によると、フロイド事件直後の二〇二〇年六月の時点では回答者の六七パーセントがＢＬＭ運動を支持していたが、同年九月には五五パーセントに減少。白人成人に限定すると、民主党支持者では九二パーセントから八八パーセントへとほぼ横ばいだったのに対して、共和党支持者では三七パーセントから一六パーセントへともともとの低水準からさらに半減している。ＢＬＭ運動に抗う側からは、白人の尊厳を唱える「ホワイト・ライブズ・マター」(ＷＬＭ)や、全ての人種の尊厳を訴える「オール・ライブズ・マター」(ＡＬＭ)、警察を擁護する「ブルー・ライブズ・マター」(BlueLM。ブルーは警官の制服の色とされる)などのスローガンを掲げる運動も派生した。ＢＬＭの側からは、いずれもＢＬＭ運動の意義を矮小化するものであり、白人ナショナリズムと表裏一体であるとの批判の声が上がった。

ちなみに、二〇一八年にロイターがIpsos(マーケティングリサーチ会社)やバージニア大学政治センターと行った共同世論調査によると、「現在、米国では人種的マイノリティが攻撃されている」という指摘に、強くまたは多少なり同意すると答えた人が五七パーセントだったのに対し、「現在、米国では白人が攻撃されている」と答えた人も四三パーセントいた。「白人ナショナリズム」に関しても八パーセントが同意していた(Reuters/Ipsos/UVA Center for Politics Race Poll 2018)。白人ナショナリズムに共感する――あるいはその素地を有する――米国民は少なからずいるということだ。二〇二二年の世論調査によると、政治的指導者が白人ナショナリズムを非難することが「全く」ないし「さほど」重要ではないと答えた人は、民主党支持者で一〇パーセントだったのに対し、共和党支持者では四八パーセントに達した(CBS News/YouGov poll, May 22, 2022)。

裁かれる過去

シャーロッツビルでの白人ナショナリストの集会も、直接的には南北戦争で南軍を率いたロバート・リー将軍の銅像撤去への抗議が目的だった(二〇二一年七月に撤去)。クー・クラックス・クラン(KKK)に対する法廷闘争などで知られる米人権団体「南部貧困法律センター」(SPLC)によると、二〇一五年からの六年間に三七七の南軍関連の表象物が公共の場から撤去されたものの、依然、七二三の記念碑を含む二〇八九の表象物が残っているという(SPLC, *Whose*

Heritage?, 2022)。

もっとも、表象物の安易な撤去が「負の歴史」の忘却につながるとの懸念も強い。加えて、表象物の中には是非の判断が難しいものも少なくない。例えば、ワシントン中心部のリンカン公園には奴隷解放宣言(一八六三年)を記念して一八七六年に建てられた「解放記念碑(Emancipation Memorial)」がある。跪いた黒人男性の手枷が壊され、傍らに立つリンカン大統領がそれを見下ろす格好になっているが、見方によっては、黒人にとって屈辱的な構図だ。その一方で、記念碑そのものは解放された元奴隷の黒人市民からの資金提供によって建立され、除幕式には黒人の指導者も多く参列している。

写真 2-6　シャーロッツビルでの白人ナショナリストの集会(バージニア州，2017 年 8 月 11 日，© ZUMA Press/amanaimages)

この記念碑は撤去されるべきか。フロイド事件の後、黒人で地元ワシントン選出のエレノア・ホームズ・ノートン連邦下院議員——厳密にはワシントンは連邦政府直轄の独立行政区

（コロンビア特別区）であり「州」ではないため、議決権なしの代（準）議員――は撤去を求める法案を提出した。記念碑をデザインしたのが白人の作家だった点、奴隷自らによる闘争の歴史が反映されていない点などが主たる理由で、博物館に移設して人権教育や啓発活動に役立てることを提言している。しかし、異論を唱える黒人も少なくない。

オレゴン州ポートランドでは、独立宣言を起草したトーマス・ジェファーソン大統領の像が撤去された。バージニアの大農園の地主として数百名の奴隷を所有していた点や、黒人奴隷との間に複数の子どもをなした点などが問題視された。政治家としては奴隷貿易に反対し、奴隷制の漸次的廃止を主張したジェファーソンだが、私生活との矛盾を突かれた格好だ。同市では初代大統領ジョージ・ワシントンの銅像も頭部が星条旗で巻かれ、放火された後に引き倒された。台座には「集団虐殺を行った入植者(genocidal colonist)」などと落書きされていた。ジェファ

写真 2-7　解放記念碑（ワシントンDC）

ーソンの像はニューヨーク市庁舎からも撤去された。

加えて、奴隷制や人種差別を支持した歴史的人物とかかわりのある施設や場所の名称見直しも進んでいる。プリンストン大学は、フロイド事件の後、公共政策・国際関係論の学部からウッドロー・ウィルソン元大統領の名前を外す方針を発表した。「革新主義の時代」を代表する政治家で、国際連盟の創設にも貢献し、ノーベル平和賞を受賞したウィルソンだが、優生学を支持し、連邦機関における人種隔離を進めた過去がある。また、大統領就任前に同大学の学長を務めた際は黒人の入学を阻止し、KKKを賞賛する発言もしている（Thomas Leonard, *Illiberal Reformers*, 2016）。全米最古の高等教育機関・ハーバード大学（一六三六年創設）は二〇二二年、マサチューセッツ州で奴隷制度が合法だった一七世紀から一八世紀にかけて、同大学の指導者や教職員が七〇人以上の奴隷を有したとする約一三〇頁に及ぶ学内の調査委員会の報告書を発表。一億ドルを拠出して「奴隷制度の遺産基金」を創設し、その歴史研究と追悼を続け、同大学で奴隷になった黒人と先住民の子孫、およびその広いコミュニティと協力するとした。

こうした例は枚挙にいとまがない。過去の言動はどこまで遡及されるべきか。現在の基準で過去を裁いてよいのか。公人はどこまで人格的に潔癖であるべきか。どこまでを公人と見なすか。ＢＬＭ運動の支持者の間でも温度差がある。

同様の難しさは歴史記述をめぐる問題についても当てはまる。『ニューヨークタイムズ』紙は二〇一九年に「一六一九プロジェクト」を立ち上げた。バージニア植民地に最初の黒人奴隷が連行されてから四〇〇年という節目を意識したもので、米国が誕生したのは独立宣言が発表された一七七六年ではなく一六一九年であるとし、奴隷制の過去を軽視してきた米国の欺瞞を批判。同プロジェクトを学校教育で活用するよう促した。しかし、同プロジェクトの記述をめぐってはショーン・ウィレンツやゴードン・ウッドなど高名な歴史家五人が公開書簡という形式で疑義を表明。端的に言えば、同プロジェクトが史実ではなく主義主張に引っ張られているというもので、例えば、奴隷制が米国に固有としている点を批判している（奴隷制そのものは南米やヨーロッパでより古くから導入）。米国が奴隷制を維持するためにイギリスから独立したとの指摘も然り（イギリスが奴隷制を廃止したのは一八三〇年代）。リンカンが奴隷解放宣言を出したのは政治的打算からであって、リンカン自身は人種差別主義者だったとの解釈についても「極端すぎる」と反論している。

高まる反発

当然ながら、銅像撤去から歴史記述に至るまで、右派からの反発は凄まじい。トランプは一連の動きを「左翼文化革命」と糾弾。二〇二〇年秋には自虐史観ではなく「愛国教育」を推進するための大統領令に署名し、諮問機関として「一七七六年委員会」を設置した。同委員会がトランプ退任の前々日に提出した報告書は「一六一九プロジェクト」とはおよそ正反対の内容で、公民権運動やフェミニズムの意義にも疑念を挟んだ。しかし、一八人の委員の中に米国史の専門家が皆無だったこともあり、アメリカ歴史学会(AHA)や大学出版局協会(AUP)などから批判が続出。バイデンは大統領就任初日に大統領令で同委員会を廃止した。

とはいえ、「左派の教化」に対する反発は収まることなく、右派は、教育現場で「批判的人種理論(critical race theory)」(CRT)が蔓延し、社会の分断を煽っているとの抗議活動を先鋭化させている。CRTとは一九七〇年代に法学の分野で提起されたもので、貧困や格差の根底に人種差別があるとの視点から現行の社会制度を批判する立場を指す。マルクス主義の流れを汲むフランクフルト学派などと結びつきながら現代思想や社会運動に大きな影響を与えた。本来、高度に学術的な理論だが、右派はCRTを「白人＝抑圧者」「米国＝人種差別大国」と描く自虐史観の代名詞として攻撃の俎上に載せている。これまでに全米五〇州のうち四二州で学校や職場における人種差別批判を制限する法案が提出され、南部のテキサス州やテネシー州など一七州で成立している(*Education Week*, June 11, 2022)。

『ワシントンポスト』紙（二〇二一年七月二四日付）が報じたミシガン州トラバースシティの事例は興味深い。ある日、「黒人ミックス」の女子高生が「奴隷売買」というSNS上の談話室で自らが疑似競売の対象になっていることを知る。当初は一〇〇ドル、最終的には無料だった。「黒人は皆死ぬべきだ」「もう一度ホロコースト（ユダヤ人大量虐殺）を起こそう」といったメッセージもあったという。事態を重く受け止めた市の教育委員会は人種差別を非難する決議文の採択を試みたが、保守的な白人の保護者などから「決議文はCRTを助長し、生徒を「人種」に矮小化してしまう」などの抗議が続出。あくまで単発的な出来事であり、左派の活動家が決議文を通して地域全体を貶めようとするのは過剰かつ不当というわけだ。「学校では自分が生まれ育った価値観が否定され、試験で良い点数を取るためにわざとリベラルな解答を書かなければならない」と疎外感を抱く生徒もいると主張。二か月間に及ぶ議論の末、決議は採択されたものの、原案よりかなり控え目な文言となった。トラバースシティは人口約一万六〇〇〇人で、うち白人が九割以上を占める小さな町だが、CRTをめぐって住民間の感情は大きくもつれた。

4　キャンセル文化とウォーク文化

このように自らにとって「自然」と思われた規範や制度が次々と否定され、尊厳や居場所が失われつつある状況を、右派は「キャンセル文化」と批判する。「政治的に正しくない」とされる言動がSNSなどで拡散・炎上し、社会的立場を追われる風潮を揶揄する表現だ。米国の過去は恥辱の歴史でしかないのか。「多様性」とは自らの尊厳や居場所を否定する隠語でしかないのか。自らは謝罪と補償を行う存在でしかないのか。こうした疑念が右派の被害者意識をさらに駆り立てている。年に一度の保守派——もっとも近年はトランプ支持者を中心に右派が存在感を強めている——の祭典である「保守政治行動会議」(CPAC)の二〇二一年のテーマは「キャンセルされない米国(America Uncancelled)」で「キャンセル文化」への敵対心を露わにした。

二〇二一年七月のピューリサーチセンターの調査によると、奴隷制や人種差別の歴史に対する関心が高まっていることを「とても良い」「まあ良い」と肯定的に捉えているのは民主党支持者で七八パーセント、共和党支持者で二五パーセントと両者の認識は大きく乖離。共和党全国委員会(RNC)は全米の「憎悪団体」のリストを作成している前述のSPLCを「過激な団体」と非難する決議を二〇年に採択した。

それとは対照的に、貧困や格差の根底にある差別や差異に敏感であることを、左派は「ウォーク」と称える。人種やジェンダー、環境などをめぐる社会正義に目覚めた(woke)という意味だ(日本語の〝意識高い系〟という表現に近い)。右派からすると「キャンセル文化」を米国に蔓延させている元凶ともいうべき存在だ。

もともと米国では一九八〇年代から左派を中心にポリティカル・コレクトネス(PC)を求める風潮が続いており、「チェアマン(議長)」が「チェアパーソン」、「メリー・クリスマス」が「ハッピー・ホリデーズ」などと表現されるようになって久しい。最近では「レディース・アンド・ジェントルメン」「ボーイズ・アンド・ガールズ」などもトランスジェンダーの人々への配慮から他の表現に置き換えられる場合がある。「ラティーノ(ラテン系男性)」と「ラティーナ(ラテン系女性)」についてもジェンダーフリーの呼称として「ラティンクス(ラテン系)」という新語が作られている。選考にかかわる面接の場で年齢や性別、国籍、人種、言語、結婚・家族、居住地・通勤、宗教・信仰、障害・病気、クレジットレコード(信用履歴)などを尋ねることや、履歴書に顔写真添付を求めることもタブーとされている。登壇者が男性のみのシンポジウムやパネルディスカッションが槍玉に挙げられることも珍しくない。

二〇一七年にハリウッドの大物映画プロデューサー、ハーヴェイ・ワインスタインが長年行ってきたセクシャルハラスメント（性的嫌がらせ）を女優たちに告発され、業界を追われたことを契機に「私も被害者だ」と訴える「#MeToo」運動が広がり、ウォーク文化は勢いを増す。翌年には『大草原の小さな家』の著者の名を冠したローラ・インガルス・ワイルダー賞が「児童文学遺産賞」に改称された。一九五四年に創設され、長年、児童文学に貢献した作家もしくは画家に贈られてきた同賞だが、ワイルダーの作品に先住民や黒人への差別的表現が含まれている点が問題視された。作家やメディア、ミュージアム、学校、企業はそうした表現に非常に敏感になっており、事前にチェックを行う「センシティビティリーダー」と称される専門職が隆盛している。米食品医薬品局（FDA）は二〇二一年四月にメンソールたばこと風味付き葉巻の米国内における販売禁止の方針を打ち出した。その要因の一つには、たばこ産業のマーケティング戦略の結果、黒人のメンソールたばこ利用率が白人に比べて高く、健康被害をもたらしているとする人権団体からの抗議活動があった。

同年八月には大リーグ（MLB）・エンゼルスの大谷翔平選手の打席で、大谷への対策として「ベリー、ベリー、ケアフル（とても、とても慎重に）」と答えた解説者のジャック・モリス（野球殿堂入りした名投手）が日本人の発音を真似た差別的なアクセントを用いたとの非難がSNSに殺到。中継した放送局はモリスの放送業務の無期限停止を発表した。同月にはニューヨーク州のコロナ対策を指揮したアンドリュー・クオモ知事が複数の元部下からセクハラを告発され引責辞任。さらには、インターネット空間で過去の不適切な言動が「発掘」され、謝罪や辞任に追い込まれる事例も日常化している。

その一方で、トランプは支持者集会の演説で東京五輪にトランスジェンダーの選手が参加したことに触れ、「東京五輪は台無しになった」「ウォークは全ての人々から人生や喜びを奪う」と批判。人種差別抗議を行ったサッカー女子の米国代表選手に言及し、「ウォークのせいで女子サッカーは惨敗した」と挑発し、支持者の喝采を受けた。米マンモス大学（ニュージャージー州）の調査（二〇二一年七月二八日）によると、三六パーセントが東京五輪は過去の五輪に比べて関心が低かったと回答しているが、その理由として民主党支持者の五一パーセントがコロナ禍

写真 2-8　東京五輪で試合前にピッチで片膝をつき人種差別に抗議するサッカー女子の選手たち（2021 年 7 月 24 日，札幌ドームで，©共同通信社）

を、共和党支持者の五一パーセントが政治――競技開始前や表彰式で人種差別への抗議などの政治的意思表示が目立ったこと――を挙げている。

もっとも、キャンセル文化やウォーク文化には左派の一部からも批判がある。例えば、民主社会主義系の季刊誌『ジャコビン』のコラムニストで哲学者のベン・バージスは、左派が本来追求すべき大きな政策課題が個人の道徳性をめぐる問題に矮小化されているとし、「世界が燃えているときにコメディアンをキャンセルする」ことに疑問を呈している(Ben Burgis, *Canceling Comedians While the World Burns*, 2021)。「ラティンクス」という新語がヒスパニック系の間でほとんど使われていないことを引き合いに、理念先行型の高学歴エリート層と日々の現実に汲々とする労働者層の意識の乖離を危惧する声も少なくない。BLM運動を契機に広がった「警察予算を打ち切れ(Defund the Police)」のような大胆なスローガンが、民主党内を分断する一方で、共和党内を結束させせかねないとの懸念もある。

加えて、キャンセル文化やウォーク文化が「思想警察」や「道徳警察」のごとく機能し、言論の自由を侵害してしまうとの声も強い。右派の登壇者を「キャンセル」するよりも、登壇を認める代わりに質疑応答に応じてもらう方が遥かに健全というわけだ。社会正義の追求がいつしか原理主義化し、「不寛容な正義」や「リベラル・ファシズム」に転じてしまうことは珍しくない。「言葉狩り」を恐れるあまりに無批判な態度や「事なかれ主義」を助長させることは、より根本的・構造的な次元における貧困や格差の問題の打開を遠ざけるという逆説を孕む。

5　過激化する対立

増加する国内テロ

右派と左派のそれぞれが正義を自らの側に引き寄せようとする中、過激な暴力主義に訴える者もいる。『ワシントンポスト』紙(二〇二一年四月一二日付)によると、二〇一五年からの五年間に極右による国内テロ(未遂を含む)は二六七件発生し、九一人が犠牲になった。かたや極左によるものは六六件で、犠牲者は一九人。極右テロの四分の一以上が白人ナショナリストによるもので、黒人、ユダヤ系、アジア系、移民、LGBTQ、宗教施設、中絶クリニック、政府庁舎などが主たる標的になっている。極左テロの場合は石油パイプラインの建設妨害、警察署や保守派教会の襲撃などが目立つ。二〇年に関しては極右テロが七三件、極左テロが二五件で、一九九四年以降、年間最多を記録している。

近年、白人ナショナリストやミリシアは若者の勧誘に注力している。とはいえ、従来のいかにも怖そうなイメージやメッセージではなく、オンラインゲーム、音楽、映画、ミームなどポピュラーカルチャーを活用。キャッチコピーを印字したTシャツやマグカップをプレゼントするなど、ソフトな手法が目立つ。加えて、サークル活動のような親しみやすい雰囲気を演出することで社会的に孤立した若者を惹きつけている。デジタル・ネイティブの若い世代では、もはや生身の人間を介することなく、インターネット上のみで過激化することも珍しくない。その意味で、巣籠もり状態が続いたコロナ禍は絶好の勧誘機会となった。また、依然、白人が圧倒的多数を占めるものの、ミリシアなどでは非白人のメンバーも増えている。前述の「プラウド・ボーイズ」の現在のリーダーはキューバ系。同団体とつながりが深く、オレゴン州やワシントン州など西海岸を中心に極左の過激派「アンティファ(anti-fascist)」と衝突を繰り返している極右団体「パトリオット・プレイヤー」の創設者は日系(母親が日本人)だ。

極右は、左派こそ差別的で、SPLCがBLMやアンティファを憎悪団体に認定しないことを批判する。そもそも、どちらも「団体」ではないが、SPLCは、両者が人種差別に対する抗議活動を主としており、特定の人種や宗教、ジェンダー、性的指向などを差別していないと反論。その一方で、黒人ナショナリスト系の「新ブラックパンサー党」や「ネーション・オブ・イスラム」などは憎悪団体と認定している。いずれにせよ、アイデンティティをめぐる問題は国内の治安・テロ対策にとって喫緊の課題となっている。セキュリティ(安全保障)をめぐる問題は、もはや軍事や経済のみならず、文化(アイデンティティや価値)の側からも考察されなければならない。

その最たる例が二〇二〇年の大統領選挙であり、翌年一月の連邦議会議事堂襲撃事件と言えよう。投開票を前に全米各地の都市では選挙後の暴動を恐れ、店舗などが窓を板張りにするなど警戒を強化。ミリシアが街中や投票所の近くを徘徊し、それを軍隊のごとく重装備した警官が監視する光景は異様そのものであった。プラウド・ボーイズやスリーパーセンターズなどの極右が関与した議事堂襲撃事件は、さながら破綻国家のクーデターを想起させるものだった。議事堂が襲われたのは米英戦争の際にイギリス軍が起こした一八一四年の放火事件以来で、自国の市民による乱入や破壊は前代未聞だ。事件後、カナダ政府はプラウド・ボーイズとスリーパーセンターズを、中東のアルカイダやイスラム国(IS)と同様の「テロ組織」に指定した(米国は言論の自由を定めた合衆国憲法上の制約により国内組織の指定は行っていない)。

アジア系の受難

そして、二〇二〇年以降、アジア系——米国では「AAPI」(アジア・太平洋諸島系)という表現も用いられるようになっている――を標的にした憎悪犯罪が急増した点も危惧される。FBIの年次報告書（二〇二一年）によると、二〇年の米国全体の憎悪犯罪数は前年比六パーセント増の七七五九件で、うちアジア系を標的にした件数は五三パーセント増加した（黒人は四三パーセント増）。二〇年三月から翌年六月までに非営利団体「ストップAAPIヘイト」に寄せられた報告件数は九〇八一件。二一年は前半六か月ですでに二〇年を上回るペースである。内訳は中国系が四三・五パーセントと最も多く、韓国系（一六・八パーセント）、フィリピン系（九・一パーセント）、日系（八・六パーセント）、ベトナム系（八・二パーセント）と続く。女性の割合が六三・三パーセントと高い点も特徴だ。

アジア系差別の急増はコロナ禍と無縁ではない。市井の米国人にとっては日系や韓国系、中国系などの違いを認識するのは困難であり、彼らは「アジア系」と一括りにされがちだ。「中国系」がアジア系の代名詞になっている面もある。一部ではあるが、アジア系が不衛生で病気の媒介者であるとの偏見も根強く残っている。

政治指導者の言葉はやはり重い。とりわけトランプが大統領在任中に「中国（武漢）ウイルス」と繰り返し言及した影響は大きい。もともと米国の対中世論は、中国による知的財産の窃取やハイテク技術の移転強要、国有企業への補助金、法の支配を無視した海洋進出などをめぐり、コロナ禍以前から悪化していた。トランプ政権が発足した二〇一七年からの三年間で中国に対して「好意的ではない」と回答する米国人は、二〇ポイント近く増加している。そうした文脈の中で「中国(武漢)ウイルス」という表現が用いられると、黄禍論(黄色人種脅威論)そのものに火をつけかねない、と専門家などが懸念を示していた。

私がカリフォルニア州立大学サンバーナーディーノ校の「憎悪・過激主義研究センター」(CSHE)のブライアン・レヴィン所長から聞いた話によると、二〇〇一年の米同時多発テロの直後、ブッシュ大統領がイスラム系への憎悪転嫁を戒める演説を行った結果、翌年のイスラム系への憎悪犯罪は三分の一に減少したという。逆に、トランプがイスラム圏からの入国制限措置などを打ち出した一七年からの一年間にイスラム系への憎悪犯罪は二一パーセント増加したという。トランプや有力議員らが「中国(武漢)ウイルス」という表現を繰り返したことで、中国系のみならずアジア系全体への差別が助長されたと考えるのは妥当と思われる。バイデンは大統領就任早々、大統領令で「中国(武漢)ウイルス」という呼称の使用を禁止した。

米国における人種差別と聞くと、まず先住民や黒人に対するものを思い浮かべるが、アジア系に対する偏見や差別の歴史も長い。一八七一年には中国系の男性一七人が約五〇〇人の暴徒に集団リンチされ、七五年には中国人女性を「淫らで不道徳」としたページ法、八二年には中国

写真 2-9　ハワイ日本文化センター（ホノルル市）内のホノウリウリ国定史跡の展示（2022 年 3 月，筆者撮影）

人排斥法、一九二四年にはジョンソン＝リード法（いわゆる排日移民法）が可決。三〇年代にはアジア系の入国や帰化が禁じられていた。真珠湾攻撃（一九四一年）の翌年二月には、フランクリン・ルーズベルト大統領が米西海岸の日系人約一二万人（うち六二パーセントは米国市民）を「敵性外国人」として全米一一か所に設けた隔離施設に強制移動・収容する大統領令に署名。公民権侵害を米政府が公式に謝罪したのは八八年、レーガン政権の末期だった。

一九四〇年代初め、日系人は準州ハワイの人口の約四割を占めていたため、その大半は強制収容を免れた。しかし、真珠湾攻撃後の戒厳令下、二〇〇〇人以上の日系人がハワイに開設された五つの隔離施設を中心に収容された。うち最大規模で、過酷な自然環境から「地獄谷」と称されたオアフ島中央部のホノウリウリの記憶は、戦後、顧みられることがほとんどなかったが、二〇〇二年にハワイ日本文化センター（JCCH）のボランティアがジャングルを探索した結果、その跡地が発見された。同センターなどの働きかけを受け、〇六年にブッシュ大統領が収容所保存法案に署名し、一五年にはオバマ大統領により国定史跡に認定された。

アジア系の帰化が認められたのは一九五二年、出身国別の移民割当制限が撤廃されたのは六五年になってからだ。六〇年代の公民権運動の時代になると、「勤勉で従順」な「モデル・マイノリティ」と賞賛されるようになった。主に白人が用いた表現で、デモを繰り返すなど反体制色が強かった黒人やヒスパニック系を暗に牽制する含意があった。

しかし、日米貿易摩擦が激しかった一九八二年には、中国系の男性が日本人と勘違いされ、ミシガン州デトロイトの自動車労働者二人に殴殺される事件が発生。九二年のロサンゼルス暴動は、もともと黒人青年に過剰暴力行為を働いた白人警官に無罪評決が下ったことが発端だったが、黒人やヒスパニック系による放火や略奪の標的になったのは、隣接するコリアンタウンだった。

マイノリティがマイノリティを差別する構図は、米国における人種問題の複雑さを浮き彫りにした。コロナ禍でもアジア系を襲撃したのは白人だけではない。フロイド事件を起こした白人警官の脇で事態を静観していた警官の一人はアジア系(ラオスの少数民族モン族系)だった。

6　人種をめぐる駆け引き

より見えにくい差別の構図も存在する。例えば、今日でも、アジア系が重役に昇進する割合は白人の半分に過ぎない。大手法律事務所では、アジア系は最大のマイノリティ集団ではあるが、パートナー弁護士（共同経営者）とその補佐役であるアソシエート弁護士の比率は、白人が一対一、黒人とヒスパニック系が一対二であるのに対し、アジア系は一対四と差が大きい。大学の学長数に占めるアジア系の割合はわずか二パーセントである。こうした障壁は「ガラスの天井」（女性の昇進を阻む障壁）になぞらえ「竹の天井（bamboo ceiling）」と呼ばれる。これが「モデル・マイノリティ」の実情だ。

より複雑な事例もある。ハーバードなどの有力大学を相手に行われたアジア系差別の是正を求める裁判がその一例だ。非営利団体「公正な入学選考を求める学生たち」（ＳＦＦＡ）は二〇一五年、ハーバードがアジア系の出願者に対して不当に高いハードルを課し、事実上の人種割当制度を採用しているとの訴訟を起こした。具体的には、アジア系の出願者に高い学力基準を課す一方で、「好感度」「適合性」「勇気」などの個人的資質に関して消極的評価を下すことで、意図的に合格率を下げているとの主張がなされた。端的に言えば、「ガリ勉でテストのスコアは良いが、没個性的で、社会性や創造性、リーダーシップに欠ける」というアジア系に対する偏見――「勤勉で従順」という「モデル・マイノリティ」のイメージの裏返しでもある――をそのまま入学選考の場に持ち込んでいるというわけだ。実際に高校の成績やSAT（日本の大学入試センター試験に相当）のスコアがほぼ満点で課外活動にも積極的だったにもかかわらず、不合格になったアジア系の出願者も原告団に加わった。

これだけなら、もっともな訴えに聞こえる。しかし、話はそう簡単ではない。SFFAを設立したのは、公民権拡大の土台となった投票権法やアファーマティブ・アクション（マイノリティに対する積極的差別是正措置）の撤廃を長年求めてきた右派の白人男性だったのである。左派は、この男性がアジア系の出願者の側に立つことで、「人種差別主義者」との批判を巧みに避けながら、アファーマティブ・アクションの正当性を揺さぶろうとしていると批判。どこまで真にアジア系に寄り添った行動なのか疑わしいというわけだ。二〇一九年には地方裁判所（第一審）、控訴裁判所（第二審）のどちらも同大学の立場を支持する判断を下したが、この一件は人種をめぐる争いや駆け引きがときに極めてデリケートな様相を呈することを示している。

黒人初の米大統領となったオバマもこうした駆け引きを余儀なくされた。それまでの黒人指導者のように黒人性を前面に出すことは少なく、挑発的な言動も控え、人種問題に固執しないカラーブラインド（ないしカラーニュートラル）の立場をとった。それゆえに白人有権者の警戒心を和らげることができた面がある。しかし、白人性を強く意識している右派からするとオバマは常に黒人であり、逆に、左派は人種問題への踏み込みが弱いことに苛立ちを募らせた。つまり左右双方の不信や不満を解消できないまま、右派はトランプの過激な主張に共鳴し、左派はウォーク文化をより先鋭化させていった。オバマの大統領就任を受け、米国が人種問題を克服した「ポストレイシャル（脱人種）」の時代を迎えたとの楽観論も聞かれた。また、「人種（race）」という概念そのものが科学的に否定されて久しいことを踏まえ、「人種」を語り続けることはかえって人種差別や人種間対立を再生産しかねないとの声もある。そうした議論には一理あるが、人種を語らないことが融和をもたらすという保証はどこにもない。

むしろ現実には、対立が過激化・暴力化する一方で、巧妙な駆け引きが盛んになっている。例えば、二〇二一年一月にジョージア州で行われた連邦上院の決選投票。激戦を制したのは民主党新人の黒人牧師ラファエル・ウォーノックだった。黒人が人口の約三割を占める同州だが、保守の牙城ということもあり、黒人の上院議員は同氏が史上初となった。

選挙コンサルタントらの注目を集めたのは同陣営の選挙CMだ。対立候補（白人女性）からの中傷をやんわりと一蹴しながら、近所で愛犬との散歩を楽しむ同氏のにこやかな表情を描いた内容だ。ただ、そこには周到なイメージ戦略が埋め込まれている。つまり、ウォーノックは「極左の黒人活動家」ではなく、犬好きで、気さくで、陽気な、ごく一般的な米国人であると示し、黒人以外の有権者——とりわけ人口の約六割を占める白人——の警戒心を解くことだ。逆に、対立候補を強く批判すれば白人票や女性票を遠ざけかねない。選挙の鍵を握る郊外には白人が多く暮らしており、ＢＬＭ運動の波及を恐れる声も少なくない。ウォーノックは別の選挙ＣＭの最後を「私は子犬が好きです」と締めくくった。超大国の上院選挙らしからぬメッセージではあるが、こうした微細なコードをめぐる駆け引きが日々繰り広げられているのが今日の米国でもある。

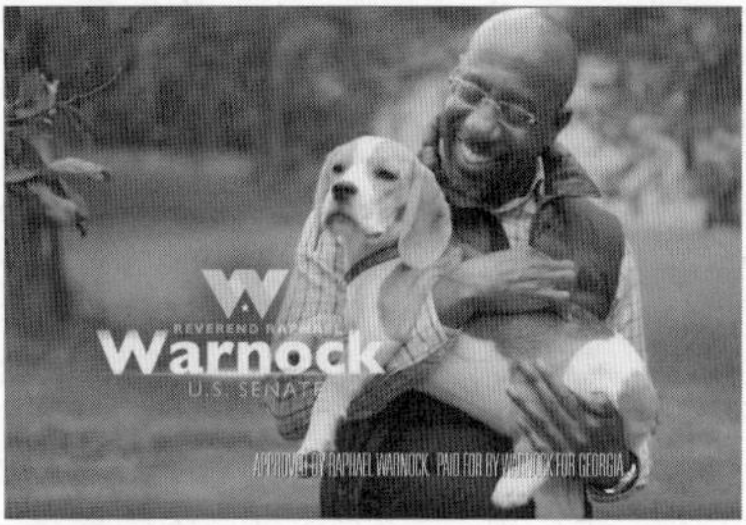

写真2-10　ラファエル・ウォーノックの選挙動画より

さらに、その同州では二〇二一年三月に州法が改正され、期日前投票時の身元確認を厳格化するとともに、投票箱の設置数を制限した。投票所で並ぶ有権者に、ボランティア団体などが水や食べ物を配る行為も禁止。州議会と知事の両方を制する共和党は「選挙の公正さと安全性を高めるための措置」としているが、人権団体などは「黒人を標的にした投票抑圧」と猛反発。同州に本社を置くコカ・コーラやデルタ航空などにも抗議を呼びかけ、賛同しなければボイコット運動も辞さない姿勢を示した。結果的に、両社を含め多くの企業が賛同し、大リーグ選手会は同州アトランタで開催予定だったオールスターゲームの開催地変更に応じた。

米国では二〇一三年に連邦最高裁が投票権法(一九六五年)の一部を無効とし、各州は連邦政府や連邦裁判所の承認なしに投票に関する法律を変更できるようになった。それを受けて、ジョージア州やテキサス州など南部を中心にマイノリティや貧困層——主に民主党の支持基盤——の投票行動のハードルを上げる動きが広がっている。反対派は、投票税や識字率テストを課すことで白人や男性以外の有権者の権利を剥奪していた公民権運動以前の時代への逆戻りだ、と各地で抗議活動を強化している。

第3章

米国モデル再考

米ソ冷戦下の西ドイツのベルリンで,「私も(自由を求める)ベルリン市民です」と鼓舞した有名な演説を行うケネディ大統領(1963年6月26日, © Robert Knudsen, White House)

1　米国例外主義

君主や貴族もおらず、中央政府の権力も分散させたまま、広大な国家の運営など本当に可能なのか。フランス貴族出身の思想家トクヴィルは一八三一年、建国から約半世紀を経た米国を視察し、のちに不朽の名著『アメリカのデモクラシー』を著した。

トクヴィルがとりわけ心を惹かれたのは人々の「心の習慣」（習俗、モーレス）、すなわち市民的な美徳や公共心のしなやかさだった。

建国の指導者たちが合衆国憲法に書き込んだ諸制度はもちろん重要だ。しかし、いくら制度がしっかりしていても、それを支えようとする「心の習慣」がなければ、立派な制度も機能しない。トクヴィルはそう確信した。

とはいえ、「心の習慣」は完全無欠ではなく、それゆえ民主主義には常に脆さが伴う。トクヴィルは黒人奴隷や先住民の置かれた境遇に憤り、人種間や地域間の切迫した状況を危惧した。その懸念はやがて南北戦争の勃発という形で的中。公民権運動から半世紀以上経った今なお、人種問題は米国に暗い影を落とし続けている。

その一方で、『アメリカのデモクラシー』は米国とロシアが「いつの日か世界の半分の運命を手中に収める」と予言したことでも知られる。君主や貴族ではなく、政治的・経済的に自由な市民が大国を統治する民主主義の実験国家が米国ならば、逆に、強大な権力者や統治機構が人民や土地を支配する権威主義の実験国家があっても不思議ではない。トクヴィルは当時のロシア帝国の中に、来るべき東西冷戦の萌芽を見た。

第一章で述べたように、米国の独立宣言や憲法の基本にあるのは近代啓蒙思想である。それは特定の民族や宗教ではなく、自由・平等・人民主権・法の支配といった、より普遍性の高い理念に根ざしている点を特徴とする。自らが旧世界とは異なる「新世界」であり、「あるべき世界」であるという強烈な自負心。そこに国土や国力の大きさ、人口構成の多様さなどが加わり、いわば「世界の縮図」として、自らと世界を同一視する傾向を強くしている。こうした自らの特殊性がその普遍性にあるという米国の自己認識は「米国例外主義（American exceptionalism）」ないし「アメリカニズム」と称される。

例えば、ケネディやレーガン、オバマなどの歴代大統領は、一七世紀の清教徒の指導者でマサチューセッツ湾植民地の初代総督を務めたジョン・ウィンスロップが新大陸へと向かうアルベラ号の船上で説いたとされる「私たちは丘の上の町になるべきだ」という一節を折に触れて引用してきた。建国以前の言葉ではあるが、崇高な使命を神から与えられたとする選民思想の表れであり、米国例外主義に通じるものがある。リンカンが米国を形容した「地上で最後で最良の希望(the last, best hope of earth)」という言葉も「丘の上の町」と同じ響きを持つ。「丸太小屋からホワイトハウスへ」を体現したそのリンカンに象徴される、立身出世の「アメリカン・ドリーム」の語りも、旧世界の身分制社会を否定した米国の道義的な優位性を示す文脈で用いられることが多い。カール・マルクスは米国を「まだ一世紀もたたぬ昔に一つの偉大な民主共和国の思想がはじめて生まれた土地、そこから最初の人権宣言［独立宣言］が発せられ、

To Abraham Lincoln
President of the United States
of America

Sir

写真 3-1　マルクスらからリンカンへ送られた手紙(1864 年)
出所：www.traditioninaction.org より

一八世紀のヨーロッパの革命に最初の衝激があたえられたほかならぬその土地」(『マルクス＝エンゲルス全集』第一六巻、大月書店、一九六六年)と賞賛していた。そのマルクスは奴隷解放を宣言したリンカンが大統領に再選された際、ヨーロッパの労働者や社会主義者からなる「国際労働者協会」(IWA。第一インターナショナル)を代表して手紙を送っている。

ここで重要なのは、ヨーロッパとの相互不干渉を提唱した「モンロー教書」(一八二三年)に見られる孤立主義にせよ、その後の中南米への強圧的な「棍棒外交」に象徴される介入主義にせよ、この米国例外主義を下敷きにして表裏一体の関係にある点だ。「米国は崇高な国なので醜い世界の争いには巻き込まれたくない」という考えは孤立主義を正当化する。逆に、「米国は崇高な国なので醜い世界を変革しなければならない」という考えは介入主義の根拠となる。

第一章で述べたように、オバマは「米国はもはや世界の警察官ではない」と述べつつ、「米国は世界における指導的立場を担っていかなければならない。今でも例外的で特別な国だ」と語った。孤立主義と介入主義の折衷案のようで、いかにも紛らわしく、米国の自己認識の揺らぎを印象づける表現だが、米国例外主義という観点からすると、実は、それほど矛盾も乖離もない。

米国例外主義は、米国を米国たらしめている、あまりに深く重い、核心的なイデオロギーであるため、今後も覆ることは想像し難い。泥沼化したアフガニスタンやイラクへの介入経験から、オバマ以降の米国は厭戦ムードや内向き傾向を強めているが、それをもって米国例外主義の終焉と見なすのはいささか短絡的と思われる。米国例外主義は、一時の安全保障や経済の動向に還元されることのない、米国という実験国家のアイデンティティの根幹にかかわるものだからである。

2　古典的帝国としての米国

醜い世界を変革すべく、介入主義への衝動が強く作動するとき、米国例外主義は「帝国」のイメージに限りなく接近する。

ただし、帝国には大きく二種類あり、やや丁寧に論じた方がよいだろう。

一つは「古典的帝国」(前近代的帝国)で、その特徴は「完結した一つの世界」として自らを捉える点にある。それゆえ、帝国の内部では民族・宗教・言語などの多様性に比較的寛容であるのに対し、帝国の外部に関しては、その存在を肯定することはなく、しばしば征服や略奪の対象にする。ローマ帝国やオスマン帝国、ムガール帝国などがその典型だ。

もう一つは「植民地帝国」（近代的帝国）で、こちらは中核的な国民国家による領土拡張や植民地経営を特徴とする。古典的帝国と比べると、帝国の内部では同化圧力や社会統制が厳しいのに対し、帝国の外部に関しては、自国の利益を脅かさない限り、その存在を否定することはない。

このうち米国例外主義と親和性が高いのは古典的帝国の方である。米国内では“E Pluribus Unum”（Out of Many, One.「多から一を」「多様性の中の統一」などと訳されるラテン語）がモットーとされ、国璽や貨幣にも記される。その一方で、米国の理念の外に存在する集団や国家を異質な「他者」と見なし、自らの世界に包摂しようとする傾向を持つ。普遍主義を掲げる啓蒙運動に終わりがないように、米国もまたそうした「他者」を常に作り出し、対峙することで、自らのアイデンティティを再確認する。二〇〇一年の同時多発テロ後、ブッシュが発した「テロとの戦い」「文明の戦い」「進歩と多元主義と寛容と

写真 3-2　25 セント硬貨の裏面に刻印された“E Pluribus Unum”のモットー

自由を信じる全ての人々の戦い」「民主主義の世界的拡大」といった勇ましいスローガンとレトリックはその好例と言えよう。

もともと米国はイギリス帝国の植民地で、そのイギリスを否定して生まれた、いわば「反帝国(＝反植民地帝国)の共和国」――トーマス・ジェファーソンの言葉を借りれば「自由の帝国」――だった。しかし、やがて西部開拓(西漸運動)を正当化する「明白なる天命」のスローガンのもと、先住民の部族国家の制圧や米墨戦争などによる領土拡張を続け、フロンティアが消滅した一九世紀末以降は海外進出を本格化。米西戦争によってフィリピンを植民地とするに至った。ヨーロッパ列強や日本と比べると限定的ではあるが、植民地帝国(いわゆる近代帝国主義国家)としての時期が存在したのは確かだ。

ただし、米西戦争後は、植民地支配に対する米国内の反発もあり、門戸開放型の海外展開が主流となり、第二次世界大戦後は、米国自身、植民地解放を積極的に推進する立場を採った。その意味で、現代の米国を「植民地帝国」として捉えることには無理がある。強大な国力を背景に、経済制裁や軍事介入などを通して他国の体制変革を図る米国の姿はしばしば植民地帝国に喩えられるが、それはあくまでイメージの問題であり、公式の植民地支配と同義ではない。「占領」と「植民地支配」も異なる。米国は日本やイラクを占領したが、植民地にはしなかった。占領した場合も比較的短期間で現地への主権移譲がなされている。ましてや米軍の「駐留」と「植民地支配」は異なる。

むしろ、国際法に背いたまま、人工島の造成や軍事拠点化など南シナ海の実効支配を進める近年の中国の姿こそは植民地帝国に近い。新興国に巨額の借款を行う代わりに重要インフラを担保として差し押さえる手法も、しばしば「新植民地主義」と批判される。かつて中国が欧米列強や日本に半植民地化された過去を想起するといかにも皮肉だが、当時の屈辱感が「中華民族の偉大な復興という中国の夢」を掲げる今日の中国のナショナリズムの源泉になっていることは確かだろう。国内の統制を強める一方で、自国の利益を脅かさない限り、他国の体制変革や社会主義の世界的拡大への関心は低い。昨今の米中対立を考える際には、こうした国家の統治原理や指向性の根源的な違いも念頭に置く必要があろう。

ちなみに、世界史に登場した五〇〜七〇ほどの主たる帝国の存続期間を比較した歴史学者ニーアル・ファーガソンによると、古典的帝国の方が植民地帝国よりも総じて寿命が長いという。その理由として、植民地帝国＝近代的帝国の方がより中央集権的で、内部統制が厳しく、多様性に不寛容な分、民族蜂起や独立運動など、被支配者からの抵抗に晒されるリスクが高い点を挙げている（Niall Ferguson, "Empires with Expiration Dates," *Foreign Policy*, September/October 2006)。

3　ダブルスタンダードと反米主義

自国を「地上で最良の希望」と世界に向けて謳い上げることなど、少なくとも日本には真似できなさそうだ。その一方で、歴史を振り返ってみれば、米国には常に批判的な眼差しが向けられてきたことも事実だ。それをあえて「反米主義」と称するならば、そこには主に構造的要因と政策的要因の二つがある。

南北戦争を経て米国では国家統合が進み、二〇世紀になると新興工業国として台頭。二度の世界大戦を経てソ連と並ぶ「世界の二大大国」となり、冷戦を経て「唯一の超大国」となった。影響力を増すにつれ、世界各地で米国への反発も顕著になっていった。

加えて、米国が近代化・西洋化・グローバル化の象徴的存在である点も世界各地で反発を生んだ。右派にとって、米国は近代社会の軽薄さや多民族社会の混乱の象徴であり、「世俗主義」「利己主義」「物質主義」「拝金主義」と同義だった。逆に、左派にとって、米国は資本家による労働者の搾取や近代帝国主義の象徴であり、キリスト教原理主義の力が強く、死刑制度や銃所有の廃止などに消極的な点が批判の的となる。これらは米国の制度や規範にかかわる反米主義の構造的要因である。

米国の個々の政策に対する批判を「反米」と見なすことには留意を要する。例えば、米国の対イラク攻撃に反対することが「反米」なのか、あるいは真の「親米」なのかの線引きは容易ではない。米国内でも共和党（保守）と民主党（リベラル）の間で、日々、「愛国」をめぐる綱引きが行われている。

写真 3-3　ホワイトハウスでサウジアラビアのムハンマド皇太子と話すトランプ大統領（2018 年 3 月，©ロイター＝共同）

ただ、より広義の政策的要因として、米国のダブルスタンダード（二重基準）に対する反発が挙げられる。

例えば、サウジアラビアとの関係。もともとはフランクリン・ルーズベルト大統領がヤルタ会談（一九四五年）からの帰路、初代サウジ国王と会談したことに遡る。両国の間で「米国がサウジを防衛する代わりにサウジは米国に石油を安定供給する」という同盟関係が築かれた。いわば「反共産主義と石油」が結びつけた関係だった。一九七九年のイラン革命後、とりわけ冷戦終結後にはそれが「反イランと石油」へと変化。こうした地政学やエネルギーをめぐる事情がサウジの権威主義体制を助長したが、米国の歴代政権は目を瞑《つぶ》ってきた。オバマは八年間の任期中、サウジを四度訪問。巨額の武器を売却し、サウジのイエメン内戦介入を支援した。

二〇一八年にサウジ出身の反体制派ジャーナリスト、ジャマル・カショギがトルコにあるサウジ大使館内で殺害されたことや、イエメンの人道危機が深刻化したことを契機に、米国内でもサウジの強権体制や人権弾圧が懸念されるようになった。民主党のみならず、共和党の一部からもサウジへの反発の声が上がったが、トランプはサウジにべったりだった。二一年に発足したバイデン政権はサウジへの武器輸出を見直し、カショギ殺害に関する米情報機関の報告書を公開した。とはいえ、サウジのムハンマド皇太子が殺害を承認したことが明らかになっても制裁は科していない。対テロという観点からも、イスラエルとアラブ世界の橋渡し役としても、そして中東地域における中国やロシアの影響力拡大を抑えるうえでも、同盟国サウジの存在は必要不可欠との判断があるのだろう。とりわけロシアのウクライナ侵攻後は原油価格高騰の抑制やロシアの孤立化を図る必要性から、むしろサウジとの関係修復を模索している。

サウジだけではない。一九八〇年から八年間続いたイラン・イラク戦争でレーガン政権はイラクの独裁者サダム・フセイン大統領を支援。しかし八六年には、敵国であるはずのイランに密かに武器を売却し、その利益を中南米ニカラグアのサンディニスタ左派政権打倒を目指す武装組織「コントラ」に提供していたことが発覚した（イラン・コントラ事件）。中東のみならず、米国はラテンアメリカやアフリカ、アジアでもこうしたリアルポリティクス（理念よりも現実の利害関係を重視した政治）の観点から、民主主義とは到底言えない国家や政権を支持してきた経緯がある。

加えて、他国に求める理想像と米国自身の現実が乖離している点もダブルスタンダードとして批判されてきた。例えば一九六三年、キング牧師らが人種差別撤廃を求めてワシントン大行進を行った際、ソ連のタス通信は「二〇〇〇万人もの黒人を搾取してきた米社会の醜い現実」と大々的に報じた。アラバマ州やミシシッピ州から伝えられる、放水や警察犬などによる黒人デモ弾圧のシーンは「地上で最後で最良の希望」とはおよそかけ離れたものだった。相対的貧困率や所得格差、世代間階層移動率、女性議員比率、銃犯罪率などでも、他の先進国に総じて劣後している米国が他国の人権状況を批判することへの違和感も強い。

こうしたダブルスタンダードは、程度の差こそあれ、どの国にも存在するだろう。中国やロシアの外交がリアルポリティクスから自由なわけではない。中東やアジアがより自由で平等なわけでもない。中南米やアフリカがより安全なわけでもない。しかし、自らの普遍性や優越性を誇示する分、理想と現実の落差は米国への反発を助長しやすい。

4　リベラル国際秩序

第二次世界大戦後の貢献をどう見るか

もっとも、こうした反米主義には留意すべき点もある。

一つは、近代化やグローバル化に上手く対応できない政権が、自らの失策や人々の不満の原因をすり替える手段として「反米」に訴えることがある点だ。超大国・米国に責任転嫁する手法は単純明快であり、反米ポピュリズムに訴えることで求心力を高めることができる。

もう一つは、自由主義に基づく第二次世界大戦後の国際秩序――いわゆる「リベラル国際秩序(liberal international order)」――の形成に対する米国の貢献だ。安全保障体制から自由貿易体制、金融体制、開発援助体制に至るまで、戦後の制度や規範の形成過程において、米国の恩恵を受けた国が多く存在したことは否定できない。

とりわけ近年は中国やロシアなどの権威主義国家の影響力拡大を前に、リベラル国際秩序を擁護し、その防守を求める声が高まっている。二〇一八年には米国の有力大学の著名な国際関係論の学者四二人が「何故、私たちは国際的な制度と秩序を守るべきなのか」(“Why We Should Preserve International Institutions and Order”)と題する論考を『ニューヨークタイムズ』紙に連名で寄稿(*New York Times*, July 23, 2018)。国連や北大西洋条約機構(ＮＡＴＯ)、世界貿易機関(ＷＴＯ)、ＥＵなどの国際的な制度が、第二次世界大戦後、近代史上最長に及ぶ大国間戦争のない状況を生み出し、空前の平和と繁栄をもたらしたと評価した。また、米国の指導力を称えつつ、米国もまたそれにより大きな恩恵を享受してきたと指摘。トランプの自国第一主義への懸念表明が主たる目的だったが、寄稿に賛同する署名をした学者は六〇〇人を超えた。

リベラル国際秩序の直接的な起源は、ウィルソン大統領による「一四か条の平和原則」(一九一八年)、フランクリン・ルーズベルト大統領による「四つの自由」論(一九四一年)やウィンストン・チャーチル英首相との共同宣言「大西洋憲章」(同年)に遡る。その根底には、自由で開放的な制度や規範は、いずれ非自由主義的な国にも恩恵をもたらし、より普遍的かつ協調的な国際秩序の形成につながるとの信念があった。

しかし、その一方で、リベラル国際秩序そのものの正当性をめぐる疑念が、その牽引役たる欧米内部からも上がっている。つまり、リベラル国際秩序は果たして「リベラル」で「国際」的だったのか、そもそも「秩序」などあったのかという自己批判である。

論点は多岐にわたるが、具体的には次のような指摘だ。

- 第二次世界大戦後のリベラル国際秩序の形成は、広島・長崎への原爆投下という大量殺戮を端緒としていた。
- 国連安全保障理事会の常任理事国五か国のうち、中国とロシアは権威主義国家であり、イギリスとフランスは植民地帝国だった。
- 米国は不当な拘束や監視、拷問、暗殺、クーデター、選挙介入、贈賄などによって、民主的に選出された政権の転覆や非民主的な政権の支援に関与してきた。
- ベトナムやラオス、イラクなどへの米軍侵攻は違法性が強かった。
- 米国は経済・金融制裁という暴力を正当化し、過剰行使している。
- 米国は国際刑事裁判所（ICC）から脱退し、クラスター爆弾禁止条約（オスロ条約）や国連海洋法条約（UNCLOS）、包括的核実験禁止条約（CTBT）なども批准していない。
- 自由貿易を唱える米国だが、自動車や半導体、鉄鋼などの輸入を規制する一方で、国内農家へ巨額の農業補助金を拠出するなど、実際には保護主義的だった。
- 米国は中国のWTO加盟を最恵国待遇で支援したが、経済成長を遂げた中国は民主化することなく、リベラル国際秩序への脅威となっている。冷戦終結後のロシアで米国が推進した急進的な市場経済導入策「ショック療法」は社会混乱を招き、反動的な権威主義の台頭を許す結果となった。

- 冷戦終結後の三〇年間は米国史の一〇パーセントにも満たないが、米国が戦時状態にあった期間全体の約二五パーセントを占めており、必ずしも平和な時代ではなかった。
- 貧困や人種差別など、欧米社会そのものがどこまでリベラルな社会秩序を体現しているか疑わしい。

要するに「リベラル国際秩序」とは――

- 米国の国益や覇権を正当化するための方便に過ぎず、目的や手段は必ずしもリベラルな価値を体現するものではなかった。
- 米国のハードパワー（軍事力や経済力）を背景にした強制性の強い秩序であり、外部の世界にとっては脅威でもあった。
- 米国主導の秩序によって各国の利害が調整され、国際関係が安定したとの見方（いわゆる覇権安定論)は無邪気すぎる。

・リベラル国際秩序が存在した事実は過去にも現在にもない。幻想や願望を現実や必然と混同することは危険ですらある。

というわけだ。第一章で示した権威主義(自国第一主義)や民主社会主義、リバタリアニズムのいずれも、ニュアンスや対応策こそ異なれ、民主・共和両党の主流派(中道派)――いわゆる外交エリート(エスタブリッシュメント)――が唱導してきたリベラル国際秩序への不信を募らせている。少なくとも、世界に福音をもたらす「地上で最後で最良の希望」という米国の自己理解は内側からも揺らいでいる。

もっとも、こうした批判に対して、主流派は例えば次のように反論する。

・米国主導であったとしても、かつてのソ連、その前のファシズムや植民地帝国による支配よりは遥かに良い。リベラル国際秩序の恩恵を受けた国や地域は多い。例えば、ヨーロッパはNATOやEUの創設によって、かつての国家間対立が緩和され、歴史上最も団結し、平和と繁栄の時代を享受している。

・グローバル化と相互依存が進んだ現代では、米国とて国際的な制度や規範から自由ではない。国益は国際益と不可分に結びついている。リベラル国際秩序が米国の国益や覇権を正当化するための方便との見方は一方的すぎる。

・米国の個々の政策に問題があったとしても、法の支配や自由、人権など米国が目指す方向性そのものには広い支持がある。粗暴な制度や規範に異議を唱えないことは、事実上黙認しているに等しい。相対主義は宥和主義と同義になりかねない。米国主導のリベラル国際秩序は総じて正しかった。

リベラル国際秩序の理念そのものを否定することは難しい。少なくとも、それに取って代わる、より良い統治理念は未だ考案されていないように思われる。

求められる自制力

とはいえ、相対主義や宥和主義を否定するあまり、教条主義や道徳主義に走り過ぎれば、逆に非リベラルな反動を招きかねない。国際政治学者・歴史家のE・H・カーは名著『危機の二〇年』(一九三九年)において、第一次世界大戦の戦勝国が自ら構築した国際秩序の道義性や革新性を過信したことが、その恩恵を十分に享受できない敗戦国や小国の不満を高め、ナショナリズムを刺激し、国際危機を深めていったと説いた。イギリスの思想家アイザイア・バーリンもまた「理想の追求」と題する講演(一九八八年)において、絶対的な理念のあくなき追求がもたらす陥穽に警鐘を鳴らした。バーリンはイマヌエル・カントの「人間性という歪んだ材木からは、真直ぐなものはかつて何も作られなかった」という言葉を愛好したが、リベラル国際秩序を追求するにせよ、美化された過去を未来に投影しないよう自制力が求められている。

もっとも、前向きな兆しがないわけではない。例えば、米国のスタンダードな高校歴史教科書の一つであるピアソン社の『アメリカン・ジャーニー』(*The American Journey*, 6th Edition)は、日本の軍国主義について「日本の腹切りギャンブル(Japan's hara-kiri gamble)」や「日本の狂信者たち(Japan's fanatics)」と記すなど、明らかに戦争を勧善懲悪の物語に仕上げている。しかし、原爆投下については、「原子のホロコースト(atomic holocaust)だった」「背後に人種差別があった」「日本はすでに降伏寸前で使用は不要だった」「日本を屈服させるよりもソ連を威嚇することが目的だった」といった歴史家の見解も紹介されるなど、多様な見方を併記している。

また、米ギャラップ社による原爆投下直後の一九四五年の調査では米国人の八五パーセントが、九一年の『デトロイト・フリープレス』紙の調査では六三パーセントが、それぞれ原爆投下を「正当化できる」としていた。しかし、二〇一五年のピューリサーチセンターの調査では五六パーセントに減少。六五歳以上では七〇パーセントに上ったが、一八～二九歳では四七パーセントで、世代差が明らかになった。時代とともに米国の歴史認識や自己理解も変化している（ちなみに日本人を対象にした同年の同調査によると、一四パーセントが「正当化できる」、七九パーセントが「正当化できない」と回答している）。

5　権威主義国家による挑戦

中国の対米観

こうした米国の自己理解の揺らぎを横目に、世界では権威主義が台頭している。その最も顕著な例が中国であろう。

私は二〇一七年一〇月半ばから二か月弱、中国の北京大学に訪問学者（客員研究員）として滞在した。五年に一度の共産党大会とトランプ大統領初の訪中という二大イベントを現地で体感し、多くの有識者や専門家と意見交換する機会を得た。中国側からしばしば耳にした論調は次のようなものだった。

・民主主義は（資本主義下の企業のように）短期的な利益しか踏まえることができない。政治家や政党は次の選挙で勝つことしか眼中になく、有権者に迎合するばかりで、中長期的な国家戦略を打ち出すことができない。その結果、「トランプ現象」や「ブレグジット」（イギリスのEU離脱）といったポピュリズム（反エリート的な大衆迎合主義）ないし排外主義が蔓延する状況に陥っている。加えて、党派対立や党内対立のため、意思決定に多大な時間がかかり、政策の施行も中途半端になりがちだ。

・中国共産党は（人権などの制約があるとしても）人口一四億もの大国を導き、五〇年、一〇〇年先の大局的な国家利益を追求することができる。意思決定も迅速で、政策実行力にも長けている。

・自由や人権を統治理念に掲げることは、経済的に余裕のある先進国なら可能かもしれないが、アジアや中東、中南米、とりわけアフリカの途上国などでは手に余る。むしろ、多少粗削りで強引でも、米国モデルより中国モデルの方が多くの国々の現実に合致している。

このように中国モデルへの自信を深めている点が印象的だった。党大会後には北京大学の近く

写真 3-4　北京大学近くの横断幕(2017 年 11 月，筆者撮影)

にも「新時代の中国の特色ある社会主義の偉大な勝利を奪取しよう」という習近平国家主席の演説を引用した横断幕が掲げられていた。

やや意外だったのはトランプへの評価だ。たしかに同氏の挑発的な言動を警戒する向きはあったが、その一方で、歓迎する声も少なくなかった。

・二〇一六年の大統領選挙で中国批判を繰り返し、為替操作国認定をちらつかせていたが、北朝鮮問題で中国の協力が必要だと知ると、習主席との記者会見では貿易問題に関して「私は中国を非難しない」と変節した。

・中国の人権状況への批判は抑制的で、歴代の米大統領より与《くみ》し易い。

・米国第一主義のもと、米国はＴＰＰや気候変動に関するパリ協定など多国間の枠組みから身を引いている。その結果生じる「力の空白」を埋めることで中国は国際的な存在感を高めることができる。中長期的な視点に立つと、トランプは中国にとって好ましい大統領だ。

などがその理由だ。

その後、米中の戦略的競争はさらに深化している。中国側の視点に立てば——

- 中国は国際的な覇権を目指していない。しかし、従来の国際秩序は欧米中心に作られたもので、民主的とは言えない。その歪みは是正する必要がある。
- 中国は自らの制度や規範を他国に押し付けることはしない。各国の主権は尊重されるべきだ。米国は中国の政治制度や共産党による統治を批判し、内政干渉を続けている。米国の対台湾政策がその好例だ。
- 中国共産党は国内の貧困解消などで成果を挙げており、国際社会にも大きく寄与している。米国は非欧米的な制度や規範にも寛容であるべきだ。真のリベラル国際秩序はもっと懐が深いはずだ。

・米国の対中強硬姿勢は中国の台頭に対する焦りと自国の覇権衰退に対する危機感の表れだ。
・香港や新疆ウイグル自治区における中国の対応は、米国が先住民に行った同化政策に比べて極端なものではない。中国の南シナ海進出も一九世紀末の米国のカリブ海進出と変わらない。
・米国内には根深い差別や格差、暴力が存在する。加えて、経済制裁などを通して他国民に甚大な被害を与えている。
・コロナ禍による米国の犠牲者数は中国より桁違いに多く、二〇二〇年の大統領選挙の結果をめぐって市民が連邦議会を襲撃する事件さえ起きた。米国に人権や民主主義を語る資格はない。

ということになる。

米国の対中観

かたや、米国側からは異なる現実が見える。私は北京から帰国後、二〇一八年一月下旬から二か月ほど、ワシントンのウィルソンセンターにジャパン・スカラー(客員研究員)として滞在した。同センターは米国で唯一議会が創った超党派のシンクタンクである。多方面の実務家や研究者との意見交換を通して、改めて米国の対中観の変化を実感した。

リチャード・ニクソン大統領の電撃訪中(一九七二年)を契機に国交樹立を果たした一九七九年以来、米国は中国をリベラル国際秩序の中に取り込むべく「関与政策」を続けた。八九年の天安門事件後もジョージ・H・W・ブッシュ大統領は厳格な経済制裁を求める議会の声を抑え、関係改善の道を選んだ。ビル・クリントン大統領も二〇〇〇年、中国に対し恒久的に最恵国待遇を付与する法律を成立させ、翌年、ジョージ・W・ブッシュ大統領の就任後に中国がWTOに加盟する道を開いた。そこには、中国が経済発展を遂げることでミドルクラスが育ち、民主化などの改革が進むこと、また、リベラル国際秩序から恩恵を受けることで中国がその良き担い手になることなどへの期待があった。

しかし、中国は世界第二位の経済大国になる一方で、国家資本主義や不公正な貿易慣行を改めることなく、共産党の一党独裁体制下、市民的自由はむしろ狭まっている。加えて、軍事力や経済力を背景にリベラル国際秩序に抗う動きも強めている。私がワシントンに滞在していた当時、米国ではこうした状況への失望や憤りがすでに支配的になっていた。

二〇一八年秋にはマイク・ペンス副大統領が軍事から経済、政治、人権、宗教までを網羅する包括的な中国批判の演説を行い、「過去の米政権は中国の行動を見逃していたが、そのような日々は終わった」と言明した。二〇二〇年夏にはマイク・ポンペイオ国務長官が「習近平は破綻した全体主義のイデオロギーの真の信奉者だ」「私たちは両国間の根本的な政治やイデオロギーの違いをもはや無視することはできない」などと演説。米中対立をより根源的かつ妥協困難なイデオロギー対立と捉えたうえで、米国の歴代政権が続けてきた関与政策を「失敗」と断じた。演説の場所が関与政策を始めたニクソンを記念する大統領図書館だったことがいかにも示唆的だった。

中国と米国の双方が相手を国際秩序の不安定要因と見なし対立を深める構図に、「ツキジデスの罠」――古代ギリシア時代のスパルタ（覇権国）とアテネ（新興国）の間で相互不信の連鎖が生じペロポネソス戦争に至ったことに由来する仮説――を懸念する声も聞かれるようになった。

欧米不信を募らせるロシア

軍事・資源大国のロシアも国際的な存在感を放っている。二〇一九年、ウラジーミル・プーチン大統領は英『フィナンシャルタイムズ』紙（六月二七日付）のインタビューで、欧米が推し進める移民・難民の受け入れや性の多様化などについて「こうした（リベラルな）政策は社会問題や軋轢、混乱をもたらしかねない。自由が制限されることがあっても、安定や秩序を優先す

写真 3-5　津軽海峡を通過する中国(右側)・ロシア(左側)の10隻の艦艇による連合艦隊. 間を飛行しているのは中国海軍のレンハイ級ミサイル駆逐艦の艦載ヘリコプター(2021年10月23日, 防衛省統合幕僚監部提供)

べきだ」と批判。「リベラルな概念は時代遅れのものとなった。国民の大多数の利益と相反するものとなっている」「多くの人々にとって、伝統的な価値観はリベラルな価値観よりも安定的で重要なものになっている。リベラルな価値観は消滅しつつあると考えている」と断じた。それに対して、EUのドナルド・トゥスク大統領(欧州理事会議長)は、「時代遅れなのは権威主義、個人崇拝、オリガルヒ(新興財閥)支配の方だ」とプーチンを糾弾したが、プーチンは自由で公正な選挙と社会の実現を求める抗議集会や活動家、さらには欧米の市民社会組織(CSO)に対する規制を強化し続けている。

また、ロシアはユーラシア経済連合(EAEU)や集団安全保障条約機構(CSTO)などを主導し、一帯一路構想(BRI)を進める中国とは上海協力機構(SCO)を共同主導するなど、欧米への対抗基盤の強化を図っている。ロシアからすれば、欧米主導ではない多国間枠組みをユーラシア大陸で構築することで、国際秩序の多元化に寄与しているということなのだろう。

もっとも、ロシア側からすれば、欧米不信には歴史的な背景もある。例えば、ロシア側の見解では、東西ドイツ統一の際、米国はソ連(当時)に対して、統一ドイツをNATOに加盟させる代わりに、東欧諸国は加盟させないと約束したという。しかし、一九九四年にクリントンはロシアとの国境に向けたNATOの東方拡大を容認し、二〇〇四年にはバルト三国(リトアニア、ラトビア、エストニア)も加盟。米国との協調を重視していたロシアのリベラル派は国内で信頼を失い、反欧米ナショナリズムに訴えたプーチンなど保守派の訴求力を高める結果になった。

そうした中、一四年二月には親ロシア的なウクライナの政権が政変によって崩壊。親欧米路線が鮮明になると、翌月、プーチンはウクライナ南部のクリミア半島の武力併合を断行した。一年後に行われたロシア国営テレビのインタビューでは、当時、核戦力を準備態勢に移行させる可能性があったと発言している。ロシアはウクライナのNATO加盟は「越えてはならない一線」だと警告しており、二一年秋にはウクライナ国境付近に大規模な部隊や戦車、重火器を集結させ、NATOに圧力を加えるとともに、ウクライナに対してミンスク合意(同国東部の親ロシア派の支配地域に特別自治権を与える手続きを定めた一五年の合意)の完全履行を求めた。その後、二二年二月には一方的にウクライナへの大規模な軍事侵攻を開始。明確な国連憲章違反と深刻

写真 3-6　多数の住民が虐殺されたウクライナの首都キーウ郊外の町ブチャ（2022 年 4 月，Ministry of Digital Development Mikhail Fedorov）

な人道危機を引き起こしている。同年三月には人権問題を扱う国際機関・欧州評議会からの脱退を表明。世界の平和と安定により責任を負う国連安全保障理事会の常任理事国であるにもかかわらず、ロシアは核戦力の使用を示唆するなど、世界の安全保障秩序を脅かしている。

権威主義の誘惑

中国やロシアのみならず、イランやアフガニスタン、ミャンマーなども欧米的な制度や規範を否定しながら権威主義体制を強化し、イスラム国（ＩＳ）やアルカイダのような非国家の国際テロ組織も影響力を維持している。少なくとも普遍的な理念としての自由主義が世界を結びつけている状況とは言い難い。むしろ自由で開放的な国際秩序の拡大を自明視できる楽観的な時代は去り、意識的に擁護しなければならないほど権威主義に差し込まれつつある。
ロシアのウクライナ侵攻開始直後の二〇二二年三月に国連総会の緊急特別会合で採択された
ロシア非難決議には欧米や日本など一四一か国が賛成したが、ベラルーシや北朝鮮など五か国
は反対、中国やインド、イラン、南アフリカなど三五か国は棄権した。さらに同年四月に採択
された国連人権理事会からのロシア追放決議に至っては、賛成は欧米を中心に九三か国に減っ
た。中国やロシア、北朝鮮など二四か国は反対し、インドやブラジル、アラブ首長国連邦（U
AE）など五八か国は棄権。反対・棄権に無投票を合わせると賛成を上回った。とりわけ「B
RICs」（ブラジル、ロシア、インド、中国）や「VISTA」（ベトナム、インドネシア、南アフリカ、
トルコ、アルゼンチン）などと称される新興国の反対が目立った。豊富なエネルギー資源や穀物
生産量を有するロシアとの関係悪化を避ける狙いに加え、欧米が掲げるリベラル国際秩序に対
する不信もそこには透けて見えた。
米国を代表する国際派ジャーナリスト、アン・アプルボームが著した『権威主義の誘惑』（三
浦元博訳、白水社、二〇二一年、原題 *Twilight of Democracy*, 2020）は、一九九九年の大晦日に著者夫
妻が当時暮らしていたポーランドで開いたパーティの話から始まる。夫妻を含め、参加者の大
多数は親欧的な自由主義者で、法の支配を支持し、自由経済に積極的な中道右派だった（夫は

欧州議会議員で、ポーランドの元外相）。ところが「あのパーティにいた客のほぼ半数は、もはや残り半数に話しかけることはないだろう」と著者は推察する。半数は移民排斥や権威主義を支持する極右になったとし、かつて脱共産化の象徴だったポーランドが政治的に二極化し、司法の独立性や報道の自由が脅かされている現状を危惧する。曰く「人びとはこれまでつねに、異なる意見をもってきた。いまや彼らは異なる事実をもっているのだ」。とりわけ、極右の権力に擦り寄るあまり「政治事業家や宣伝屋」に変身したジャーナリストや評論家らを「堕落した知識人」と厳しく批判。彼らの変節や転向の理由として、著者は政治の民主化や経済の自由化の恩恵を享受できなかった層の怨恨や、西欧諸国から二級市民扱いされることへの屈辱、自国が繁栄していた時代への郷愁などを挙げる。

ポーランドのみならず、同じ旧東欧のハンガリーでも冷戦終結後に「民主化の闘士」として改革派の若手を率いたオルバーン・ビクトル首相が、二〇一〇年に実権を掌握して以来、憲法裁判所の権限縮小や教育の規制強化、難民排斥、反ＬＧＢＴ法制定など、強権的な振る舞いを繰り広げている。二〇一四年には、ジプシーと呼ばれ差別されてきたロマ人を前に「国民的（national）な価値観に基づく非リベラル（illiberal）な国家」の構築を目指すと演説。中国やロシア、トルコをその好例として挙げ、それらの国々との結びつきを深めている。ロシアのウクライナ侵攻に際してもオルバーンはプーチンを支持し、NATOとEUの加盟国であるにもかかわらずウクライナへの軍事支援を拒否した。

オルバーンはハンガリーを「非リベラルな民主主義」と称しているが、そのオルバーンを国民は広く支持した。欧米的な規範に囚われない過激な言動が「反エリート」「強い指導者」の証として国民的人気を博した点は、トルコのレジェップ・タイイップ・エルドアン大統領やフィリピンのロドリゴ・ドゥテルテ前大統領、ブラジルのジャイル・ボルソナロ大統領などと同じだ。民主主義は必ずしも自由主義を保証しない。自由主義、あるいは民主主義そのものを否定することに自国の「強さ」や「誇り」を見出す傾向は、近年、世界各地で散見される。

6　リベラル疲れ

強権化する世界

欧米の先進民主主義国とて例外ではない。経済格差の拡大や移民・難民の増大などに対する人々の不満を背景に、イギリスやフランス、ドイツ、オーストリアなどでも右派ポピュリズムと結びついた権威主義が台頭。グローバリズムから国家の主権や尊厳を取り戻そうとするナショナリズムが顕著になっている。プーチンは尊敬する人物として帝政ロシアの礎を築いたピョートル大帝を挙げ、習近平は「中華民族の偉大な復興という中国の夢」を掲げているが、大国時代への郷愁は欧米でも見られる。

その最たる例が米国であり、トランプの「米国を再び偉大に」「米国第一」というスローガンであることは第一章で記した通りである。変わりゆく社会の中で閉塞感を強め、政治に対して冷笑的になっていた「忘れられた人々」――ラストベルトの白人労働者がその象徴とされる――を、再び選挙の場に引き戻した功績は看過すべきではない。見方によっては、トランプ現象は米国の民主主義の活力を示したとも言える。

しかし、歴史の極端な単純化、専門知の否定、議会手続きや独立した司法機関の軽視、政治的多元性への不寛容、マイノリティ(移民・難民、人種、性的指向など)に対する侮蔑的言動など、二〇世紀のファシズムの特徴と重なる様相を呈したことも否定し難い。ワイマール共和国の立憲制度や選挙制度を通してナチスが台頭した当時、オーストリアの法学者ハンス・ケルゼンは「民主制の擁護」(一九三二年)と題する論文において、民主主義がまさに民主的手続きによって崩壊する逆説をこう表現している。「自由の理念は破壊不可能なものであり、それは深く沈めば沈むほどやがて一層の情熱をもって再生するであろうという希望のみを胸に抱きつつ、海底に沈み行くのである』（鵜飼信成・長尾龍一編『ハンス・ケルゼン』東京大学出版会、一九七四年）。党派的な選挙区割りや大統領令の乱発が可能な点など、米国の政治制度には隙間も多い。規範を蝕むような政治家の言動がそこに重なれば、民主主義といえども質的劣化は容易《たやす》い。

プロパガンダ研究で知られる哲学者ジェイソン・スタンリーは『ファシズムはどこからやってくるか』（棚橋志行訳、青土社、二〇二〇年、原題 *How Fascism Works*, 2018）において、自国の歴史の美化、リベラルな高等教育の否定、独立した司法制度の弱体化など、ファシズムに陥る典型的パターンを列挙する。共通するのは、国民を「我々」と「奴ら」に分断し、後者を排除することで「市民の共感力」を麻痺させてゆく手法であり、異常で極端な状況すら「ふつうのこと」と認識される現象だという。「〝ファシズム〟という告発が過剰反応に感じられる」「自分の見下している人々が自分より苦しめられていると、自分の苦しみに耐えられそうな気がする――そんな人間の弱さに、ファシスト政治はつけ込んでくる」「自由主義的な寛容さはエリートの特権とあっさり片づけられる」……。著者の危機意識の根底にトランプの政治手法があることは自明だ。ただ、トランプの熱心な支持者にはオバマこそ「ファシスト」と映る。対立する左右の政治勢力が互いに「ファシスト」と罵り合う中、いかに民主主義は「市民の共感力」を回復してゆけるのか。

写真 3-7　「ベース」の訓練合宿(インターネット上に投稿された勧誘ポスター)
出所：hstoday.us より

加えて、近年、欧米では人権・平等・民主主義・多様性など、自由主義やリベラル国際秩序の土台を成してきた近代啓蒙思想の理念そのものを否定する「新反動主義」あるいは「暗黒啓蒙」といった思想潮流が一部で注目を集めている。そこでは啓蒙主義こそは壮大な「ポリティカル・コレクトネス」であるとされ、啓蒙主義に連なる制度や規範は破壊の対象にすらなり得る。現に、米国の「アトムヴァッフェン師団」(AWD。アトムヴァッフェンはドイツ語で「核兵器」の意)や「ベース(The Base)」など、武装した白人ナショナリスト団体は暴力を正当化する論拠として新反動主義や暗黒啓蒙を援用している。

スウェーデンの独立調査機関・V-Dem研究所は約二〇〇か国を対象に一九〇〇年頃から現在まで毎年の民主主義の程度を測定した世界最大の民主主義データベース「V-Dem(Varieties of Democracy)」を制作・公開している。それによると民主主義国家の数は二〇一〇年代初めにピークアウトし、一九年には非民主主義国家の数が逆転。一八年ぶりに民主主義国家が少数派に転落した。二一年の報告書によると、閉鎖的な専制主義国家（closed autocracy）と選挙を伴う専制主義国家（electoral autocracy）に暮らす世界人口の割合は一〇年からの一〇年間で四八パーセントから六八パーセントに増加。定期的な選挙と三権分立を有するリベラル民主主義国家に暮らす人口割合は一六パーセントから一四パーセントに減少している。

その理由の一端として新型コロナウイルスの影響も無視できない。民主主義国家ではコロナ対応をめぐって世論が割れ、利害関係の調整に手間取る中、市民の政治不信が募っていった。かたや権威主義国家はコロナ対策を名目に監視強化や人権侵害を正当化するようになった。加えて、欧米の民主主義国家が自国のコロナ対応に追われ、他国の政治状況に関与する余裕を失う中、その隙を捉えて強権化が進んだ面もある。

バイデンは大統領就任から一年近く経った二〇二一年一二月にようやく選挙公約の「民主主義サミット」を開催。約一一〇の国や地域の首脳がオンラインで参加し、権威主義からの防守や汚職との闘い、人権尊重の推進などを議論した。しかし、招待・非招待の基準が不明瞭だったこともあり、「招待・非招待の線引きが世界を二分する」「非招待国を中国やロシアに近づける」などの批判の声が上がった。同サミットに合わせて中国政府は『中国の民主』と題する白書を公表し、中国が西洋の民主モデルをそのまま模倣するのではなく、質の高い「中国式民主」を創り上げたと主張した。同時に、一二〇以上の国や地域、二〇以上の国際機関から専門家などを招き、民主主義に関するフォーラムを開催。民主主義が少数の国々の専売特許ではなく、他国が干渉できるものではないと米国への対抗姿勢を露わにした。

民主主義のジレンマ

一般的に、経済的に豊かになりミドルクラスが増えると、私有財産の保護や言論の自由、民主的な政治参加、法の支配などを求めるようになるとされる。しかし、歴史学者デヴィッド・モタデルは、ミドルクラスは自らの利益や社会秩序の安定を優先し、しばしば非リベラルな政府を支持してきたと言う。「共産主義の脅威に怯えたヨーロッパのミドルクラスは、リベラルな民主主義や議会主義の理想にはほとんど関心を示さず、右派の強者に群がったのである。ムッソリーニやフランコ、ヒトラーのような独裁者こそは、彼らの富を保護してくれるように映った」「今、世界中のミドルクラスの多くが再び非リベラルな政治に目を向けていることは驚くべきことではない。この一〇年間には様々なショックがあった。グレート・リセッション［二〇〇〇年代後半から一〇年代初頭までの世界的な景気後退］や新たな「金ぴか時代」の過剰な新自由主義は格差の拡大を招き、ほぼ全ての国でミドルクラスを圧迫している。と同時に、従来の社会の主流派はこれまで疎外されてきた少数民族や移民、貧困層などからの社会的・経済的・政治的要求に脅威を感じている。ミドルクラスの一部は、社会的・経済的地位を維持するために、ポピュリストの強者が自らの利益を守ってくれると信じ、抗議政治（protest politics）に走っている」（David Motadel, "The Myth of Middle-Class Liberalism," *New York Times*, January 22, 2020）。

もともと民主主義は多くのジレンマを抱えている。権威主義に比べて政策が近視眼的になりがちで、意思決定も迅速さに欠ける。外交も国内世論に強く左右される。軍事・安全保障問題は機密性が高く、透明性や説明責任を重んじる民主主義とは相性が悪い。市民間の格差を広げやすい市場経済と民主主義も然り、等々。米国の民主主義も例外ではなく、米国モデルの正当性は大きく揺らいでいる。ピューリサーチセンターが二〇二一年春に一六か国・地域で行った世論調査では、米国の民主主義を「他国が見習うべき良いモデル」と答えた割合は平均一七パーセントに留まる一方で、「かつては良いモデルだったが、近年はそうではない」という回答が五七パーセントを占めた。

それればかりか、二〇二一年一二月にＮＰＲ（米国公共ラジオ放送）とIpsos（マーケティングリサーチ会社）が行った世論調査では、六四パーセントの米国人が米国の民主主義が「危機的状況にあり、破綻の危機にある」と答えている。翌年一月に米キニピアック大学（コネチカット州）が行った世論調査でも五八パーセントの米国人が同様の回答をしており、七六パーセントが国内の政情不安が米国にとって最大の脅威だとしている。米国の敵対国を最大の脅威と回答したのは一九パーセントだった。ロシアのウクライナ侵攻に憤る一方で、自国に対する懐疑と不安を深めているのが今日の米国でもある。

第 4 章

分裂する世界認識

2018 年の G7 サミットで貿易分野の文書取りまとめをめぐりトランプに翻意を促す各国首脳(カナダ・ケベック州，2018 年 6 月 9 日，© UPI/amanaimages)

1　パラレルワールド

民主主義の胆力が問われる中、リベラル国際秩序を牽引してきた米国の外交は二つの大きな課題を抱えている。

一つは党派対立である。長らく外交政策に関しては概ね超党派の合意が存在してきたが、一九九〇年代から徐々に国内の党派対立がそのまま外交のスクリーンに投影されるようになった。ジョージ・W・ブッシュ大統領はクリントン前政権による世界各地の紛争への積極介入を批判し、二〇〇〇年の大統領選挙の最中から「米国は世界に対してより謙虚であるべきだ」と主張していた。しかし、就任後、その「謙虚であるべき」外交スタンスは共和党保守派の立場を色濃く反映した単独行動主義へと政策的に翻訳されていった。京都議定書や対人地雷全面禁止条約（オタワ条約）からの離脱、包括的核実験禁止条約（CTBT）の批准放棄、国際刑事裁判所（ICC）への署名撤回などがその好例だ。ブッシュ政権発足後の最初の大統領令（二〇〇一年一月）は、米国国際援助庁（USAID）に対して人工妊娠中絶に関与する国際活動団体への政府資金援助を禁止する内容だった。

シカゴ・グローバル評議会（ＣＣＧＡ）が二〇二〇年秋に発表した「米国にとっての脅威認識」に関する報告書によると、民主党支持者が（上位順に）新型コロナウイルス、気候変動、人種差別、選挙への外国の干渉、経済不平等の拡大を重視しているのに対し、共和党支持者では中国の影響力拡大、国際テロ、移民・難民の増加、国内の過激派組織、イラン核問題と続く。上位の五項目が交わることはなく、世界の見え方そのものがパラレルワールド（並行世界）の様相を呈している。こうした状況が続けば、政権交代のたびに優先課題のぶれ幅が大きくなり、国家としての戦略的意志の持続が困難になる。当然、他国もそれに振り回されることになる。つまり米国の分断は、単なる国内問題ではなく、もはや国際社会における不安定要因になりつつあるということだ。

米国はハードパワー（軍事力、経済力）とソフトパワー（理念や価値の誘引力）の双方において、依然、優れた「力」のポートフォリオを有している。

例えば、世界の軍事情勢を分析しているストックホルム国際平和研究所（ＳＩＰＲＩ）の報告書（二〇二一年）によると、米国の国防予算は第二位の中国の約三倍で、米国に続く一一か国の総額を上回り、世界全体の国防予算の約四割を占める。米アメリカン大学の報告書（二〇二一年)によると、米兵は一五九か国に一七万人以上が駐留し、米軍基地・施設は八〇か国以上の約七五〇か所に存在している(日本では全国一二〇か所に約五万三〇〇〇人の米兵が駐留しており、ともに世界最多)。軍事技術も世界有数だ。初代大統領ワシントンは辞任演説の中で海外との恒久的な軍事同盟を戒めたが、米国は一九四七年に南米諸国と米州共同防衛条約(リオ協定)の締結に踏み切った。北朝鮮以外に同盟国を持たない中国とは対照的に、現在、米国は三〇か国以上と(狭義の)同盟関係にある。

経済力についても、国際通貨基金(IMF)のデータ(二〇二一年)によると、二〇二〇年の名目国内総生産(GDP)は第二位の中国の約一・四倍で、国民一人当たりの名目GDPは約六倍。増加する移民とその高い出生率に支えられて、米国の人口は五〇年までに五〇〇〇万~一億人程度増加すると見込まれている。かたやヨーロッパでは五〇年までに人口が一億人程度減少するとされ、かつ経済統合は難航している。中国では労働力がすでに縮小傾向に転じ、労働者の退職者に対する割合は現在の六対一から四〇年までに二対一に近づくとされている。加えて、賃金の上昇に伴い、労働力が高価になっている。

また、米国は二〇一〇年代初頭のシェール革命によって潜在的には世界最大の産油国、そしてサウジアラビアに代わるスイングプロデューサー(価格の安定を図る調整役)となり得る(ただし、シェール開発は環境保全を訴えるリベラルからの反発が強く、バイデン政権は規制を強化している）。人民元の影響力が増しているとはいえ、米ドルを基軸通貨としない合理的な理由は今のところ見当たらず、世界の準備通貨としての価値も高い。さらには世界最大の食糧輸出国でもあり、食糧価格の高騰や供給不足に対して一定の影響力を担保している。中小企業やベンチャー企業への投資も盛んで、世界の金融市場は、より強くニューヨーク株式市場と連動するようになっている。

映画や音楽、スポーツなど大衆文化はもちろん、高等教育や市民社会などの分野でも、米国は優秀な人材を惹きつけ続けている。米国に対する最も辛辣な批判でさえ、実は、米国の大学や知識人から発せられている事例も少なくない。加えて、移民がもたらす多様性やネットワークは社会的なレジリエンス（復元力、回復力）の源泉となっている。覇権の維持には、ハードパワーのみならず、ソフトパワーが不可欠なことは世界史の示すところである。そして、それは中国やロシアが不得手とするパワーでもある。

しかし、国際政治の舞台ではそうした個別の「力」のみならず、「意志」も重要だ。優れた「力」のポートフォリオを有する米国だが、戦略的意志の持続が困難な国内状況が米国衰退論に拍車をかける格好になっている。この点、中国やロシアのポートフォリオにはかなりの偏りや脆さがあるものの、権威主義国家ゆえに戦略的意志は強固であり、国内に多くの不安定要因を抱えつつも、国際社会で大きな存在感を放っている。

2　権威主義が見る世界

米外交を取り巻くもう一つの大きな課題は、党派対立のみならず、第一章で示した権威主義（自国第一主義）や民主社会主義、リバタリアニズムがそれぞれ遠心力を強め、従来、リベラル国際秩序を唱導してきた民主・共和両党の主流派（中道派）＝外交エリート（エスタブリッシュメント）への信用が揺らいでいる点にある。

まず権威主義の根底にあるのは、米国が（同盟国を含む）他国や多国間枠組み、国際機関によって搾取されているとする被害者意識だ。一九四〇年創設の米国第一委員会（ＡＦＣ）や二〇〇〇年の大統領選挙で「米国第一（America First）」をスローガンに掲げたブキャナンなどの流れを汲みつつ、それを最も強力かつ大胆に体現したのがトランプである。気候変動に関するパリ協定やイラン核合意、環太平洋パートナーシップ（ＴＰＰ）協定、国連教育科学文化機関（ユネスコ）、国連人権理事会などからの一方的離脱。中国への制裁関税。経済的な損得勘定に基づいたNATOや日本、韓国など同盟国への負担増要求。国際法や国連安全保障理事会の決議を無視したエルサレムのイスラエル首都認定などはその好例だ。これらはトランプの個人的信条というよりは、世論の支持を見込んでの政治的判断であり、自国第一の世界認識に共鳴する国民がそれなりの規模で存在することの証左と捉えるべきだろう。

二〇二一年三月にはトランプ政権の元高官らを中心とするシンクタンク「米国第一政策研究所」(AFPI)が創設。ホームページには重点テーマとして医療やエネルギーなど一五分野が列挙されているが、「メディアの偏見」「選挙の健全性(integrity)」「検閲」「批判的人種理論」などトランプ時代のこだわりを彷彿させるものもある。各テーマに沿って設置された二二のセンター(部局)の一つ「一七七六年のためのセンター」などは明らかにトランプ政権の諮問機関「一七七六年委員会」の流れを引き継いでいる。

外交・安全保障政策に関しては、「ワシントンの国家安全保障体制が想定する理論上の「米国」ではなく、[実際の]米国人を支持します。米国の力を行使するには明確な理由が必要であり、米国第一のアプローチは、米国の力が米国人の利益のために使われることを保証するものです。(中略)ワシントンの外交・防衛政策の正当性がますます陳腐化していることに対して、米国らしい代替案となる政策を厳格に推進することを目指します」と表明。

中国に関しては、「何十年もの間、ワシントンのインサイダーとウォール街のエリートたちは、米国が共産主義の中国に関与することで、中国が開放され、自由化され、改革されるという嘘を言い続けてきました。（中略）この欺瞞から利益を得る一部の人々は、米国の名声と米国の労働者を犠牲にして、中国から利益を得続けたのです。（中略）米国が何十年にもわたって共産主義の中国に便宜を図ってきたことで、私たちの国と暮らしを脅かすライバルが育ってしまったことを研究する政策を推進します」と記している。

主流派を代表するブルッキングス研究所や戦略国際問題研究所（CSIS）のような大手老舗シンクタンクに比べると周縁的な存在ではあるが、ワシントンDCに、権威主義の立場を言明するシンクタンクが創設された点は注目に値する。また、トランプ旋風やサンダース旋風に象徴されるように、近年の米国ではムーブメント（運動）を起こし、広げてゆく力がますます問われるようになっており、単に予算や人員の規模、立地、レガシー（歴史の古さ）でシンクタンクの影響力を語ることは難しくなっている。AFPIのホームページでも「私たちのムーブメントに参加しましょう（Join Our Movement）」とメーリングリストへの登録ボタンがあり、その隣に献金ボタンがある。

もっとも、第一章で述べたように権威主義はナショナリズムと親和性が高く、その一部は自由主義やリベラル国際秩序の土台を成してきた近代啓蒙思想の理念そのものに懐疑的だ。例えば、保守系の「FOXニュース」の政治トーク番組の人気司会者で、トランプと懇意のタッカー・カールソン。自らを白人ナショナリストとは認めていないが、白人ナショナリストからの支持はすこぶる高い。そのカールソンは二〇二一年八月の米軍のアフガニスタン撤退後、バイデン政権が「米国を変えるため」にアフガン難民を米国に入国させていると批判した。この発想は白人ナショナリストが好む(非白人による白人文化の)「壮大な乗っ取り(great replacement)」という米国理解に連なるものだ。リベラル系の「CNNニュース」は、極右が集うオンラインサイトでイスラム主義勢力タリバンを賞賛する投稿が相次いでいると報じている(同年九月一日)。タリバンが反ユダヤ主義や同性愛嫌悪、女性の自由への厳しい制限を標榜している点や、わずか八万人のタリバンが米国の支援を受けた数十万人のアフガン政府軍を駆逐した点などを称えているようだ。なかには「西ヨーロッパの白人がタリバンのような勇気を持っていたら、現在のようにユダヤ人に支配されることはなかった」との投稿もあったという。ちなみに武闘派の白人ナショナリストは同年二月にミャンマーで起きた軍事クーデターを賞賛し、トランプを大統領に復帰させるために同様の行動を呼びかけていた。そのトランプはロシアのウクライナ侵攻直前、保守系のラジオ番組に出演し、プーチンがウクライナ東部の親ロシア派支配地域の独立を承認したことについて、「天才」「素晴らしい」「抜け目ない」と賞賛。同地域へのロシア派兵を「最強の平和維持軍」とし、メキシコ国境の不法移民対策にも応用できると述べた。この発言はロシアのメディアに広く引用された（後日、トランプは発言を修正し、侵攻を非難）。

3　民主社会主義が見る世界

権威主義が共和党の右バネを強める一方で、民主社会主義は民主党の左バネを強めている。第一章で述べたように、民主社会主義はミレニアル世代やその下のZ世代を中心に支持を広げており、格差や人権、環境などにかかわる社会正義を重視する。その根底には、貧困や差別、環境破壊などの問題は互いに深く結びついており、新自由主義と共犯関係にあるとの認識がある。新自由主義とは略奪と抑圧と破壊の体系であり、社会主義こそが正義というわけだ。例えば、全米最大の社会主義団体「アメリカ民主社会主義者」（DSA）は二〇一七年にバージニア州シャーロッツビルで白人ナショナリストと反対派が衝突した事件の後、「私たちは同志に放たれたテロを打ち負かすことができると信じています。また、より広汎な人種差別的な抑圧の体制を打ち破ることができると信じています。それには、それを生み出した資本主義体制の終焉が必要です」との声明を発している。

DSAのホームページを見ると、重点テーマとして、①国民皆保険の導入、②「グリーン・ニューディール」の推進、③労働運動の拡大、④選挙戦略の強化の四つが掲げられており、主たる関心が国内(内政)にあることが窺える。米国こそまさに新自由主義との主戦場ということだろうか。格差や人権、環境などはグローバルな課題だが、「社会正義」を軸に米国の外交・安保政策を具体的かつ体系的に打ち出している気配はない。あえて目を引くとすれば、反シオニズムの立場からイスラエルのパレスチナ政策を「アパルトヘイト」と見なし、そのイスラエルに肩入れした米国の姿勢を批判している点だろうか。

私が二〇二〇年二月に大統領選挙の民主党候補者討論会を南カリフォルニア大学(ロサンゼルス)で観戦した際、民主社会主義者であるサンダース候補(上院議員)の支持者が最も大きな歓声を上げたのは、サンダースが(ユダヤ系であるにもかかわらず)イスラエルへの武器売却の停止を訴えた場面だった。

サンダース本人は「民主主義、人権、外交と平和、経済的公平性」が自らの外交政策の中心になると主張しているが、気候変動問題への対応を除き、米国が国際社会を主導するための具体策には乏しい。米軍の海外軍事拠点を整理縮小し、国防費を削減し、「終わりなき戦争」(中東における軍事介入）を停止する。雇用の海外流出を抑制し、国外に生産拠点を移転した企業に対する税制優遇措置を廃止する、等々。移民政策や環境政策などはトランプと対照的だが、自由貿易や中国の貿易慣行に否定的な点、米軍の負担縮小を指向する点など共通点も少なくない。

写真 4-1　サンダースの事務所．AOC（アレクサンドリア・オカシオ＝コルテス）のポスターが貼ってある（2020 年 2 月，筆者撮影）

サンダースの選挙事務所を訪れるとアレクサンドリア・オカシオ＝コルテス下院議員（愛称ＡＯＣ）のポスターをしばしば見かけた。ニューヨーク市の中でも低所得者層が多く暮らすブロンクス地区出身のヒスパニック系で、大学卒業後、家計を助けるためウェイトレスやバーテンダーをしていた時期もある。ＤＳＡのメンバーで、かつてサンダースの選挙ボランティアをしていた。二〇一八年に民主党の現職大物議員を破り、女性として史上最年少の二九歳で下院議員に選出。サンダースの後継者と目されており、とりわけ若い世代からの支持はすこぶる高い。

ＡＯＣは、民主社会主義の外交政策とは「帝国主義、植民地主義、搾取、「安全保障国家（security state）」の枠組みではなく、脱植民地化、国際労働権、貧困層の経済的機会の重視、先住民の権利と保護の拡大、気候変動対策のための強力な国際協定などに基づくもの」と自身のインスタグラムで述べている。また、「貿易政策とは対気候変動政策であり、気候変動に対するグローバルな協力のための最も強力な手段の一つです。もし貿易政策に気候に関するベンチマーク（指標、基準）がなければ、あなたの貿易政策は気候対応を否定していることになります。だからこそ、私はＵＳＭＣＡ（米国・メキシコ・カナダ協定）、別名ＮＡＦＴＡ2.0に反対票を投じたのです」と説明している。自身のツイッターでは「戦争とは階級闘争でもあります。戦争を始めた金持ちや権力者は、その決定の結果から逃れることができます。彼らの子どもたちが暴力の犠牲になるわけではありません。その代償を払うのは、紛争にほとんど口を出せなかった弱者、貧困者、労働者であることが多いのです」とし、米国が海外の戦争に関与することを非難する。格差や人権、環境などにかかわる社会正義を米国自身が実践してゆけば自ずと平和で持続可能な世界が拓けるとの信念から、国家間のパワーポリティクスや米国のハードパワー行使には極めて否定的だ。

ところで、民主社会主義系のシンクタンクの一つに「進歩のためのデータ（Data for Progress）」

（DFP）がある。データサイエンティストらによって二〇一八年に創設され、左派系の政策分析や世論調査を専門にしている。二〇年の大統領選挙で民主党がグリーンニューディールを強く打ち出すよう提唱したことで注目を集めた。当然、サンダースやAOCなどとの関係が深いが、今日では民主党内で広く参照されている。単なる理想主義ではなく、緻密なデータに基づいた戦略的なアプローチの先駆けとして興味深い。デジタル・ネイティブの若い世代との親和性も高そうだ。しかしホームページを見る限り、気候変動問題で米国が国際的な指導力を発揮することを呼びかけているものの、その他の外交・安保政策に関する言及はほぼ皆無に等しい。

4　リバタリアンが見る世界

第一章で示した四象限の中で、グローバルなヒト・モノ・カネの流れに最も肯定的なのがリバタリアニズムだ。「リバタリアン」という言葉が今日的な意味で用いられるようになったのは一九五〇年代。「大きな政府」を支持する進歩派が「リベラル」と自称するようになったことから、米国本来（＝建国当時）の自由主義を取り戻そうとする一派がたどり着いた言葉だった。

自由市場・最小国家・社会的寛容を重んじる立場から、国家権力がとりわけ前面に出がちな外交・安保政策には自ずと警戒心が強い。

もともと社会的には民主党寄りだが、外交や経済政策では民主党のニューディール政策による政府の肥大化、さらには米ソ冷戦という共産主義との戦いを前に、総じて共和党との共闘が続いた。しかし、決して一蓮托生だったわけではない。リバタリアン党が一九七一年に結成されたのは、共和党のニクソン政権によるベトナム戦争や徴兵制の継続、金本位制の停止などに幻滅したからだった。

一九八〇年代のレーガン政権に関しても、「小さな政府」のスローガンとは裏腹に、実際には関税や輸入制限の強化、軍事予算の増大、軍産複合体の肥大化、軍拡・介入路線の拡大など、政府による関与や介入の度合いを増強し、市場や市民の自由を圧迫したと批判的だ。なかんずくブッシュ政権が推進した「テロとの戦い」には手厳しい。筋金入りのリバタリアンとして知られるロン・ポール（元連邦下院議員）は共和党内における反イラク戦争の急先鋒であり、主流派や安保保守派と激しく対立した。二〇〇八年の大統領選挙の予備選挙に出馬した際、イラク即時撤退を訴える同氏の立場が共和党の方針から逸れていると批判された。それに対してポールは「共和党こそ道を踏み外している。本来、共和党は（民主党政権が始めた）朝鮮戦争やベトナム戦争を終結させるために選ばれた党だったはずです」と反論。「なぜテロリストは米国を攻撃するのか。米国はイラクを一〇年間も爆撃し続けている。イラクの米国大使館はバチカンにあるものより大きい。しかも、これから一四もの基地を造ろうとしている。もし中国が同じことを米国内で行ったら、米国は反対するでしょう。もし他国が同じことを米国内で行ったら、私たちがどう反応するか想像してみてください」。ポールはそう続けた。

リバタリアンの多くは米国の介入主義が反米感情を高め、米国の安全を損ねていると主張。軍備増強や戦争が財政規律を乱すとともに、市民的自由を制限することを危惧する。ポールは世界各地に米軍が展開している現状は建国時の理念を大きく逸脱しているとし、在日米軍を含む海外駐留米軍の撤退も訴えた。ちなみにポールの息子ランド・ポール上院議員(共和党)はロシアの侵攻が続くウクライナへの四〇〇億ドル規模の支援パッケージ(二〇二二年)の承認に反対した。財政支出の拡大やインフレ率上昇、対外支援の過剰を懸念した格好だ。

米軍の在外兵力の整理縮小や中東での「終わりなき戦争」の停止を訴える点においてリバタリアニズムはトランプ流の権威主義(自国第一主義)に近い。しかし、リバタリアンの中には、トランプ政権下で軍事費が大幅に増大し、アフガニスタンに増派し、シリアを爆撃し、サウジアラビアやイスラエルとの軍事協力を深めるなど、現実には正反対の状況が進んでいると危惧する声が少なくない。金融制裁や報復関税を乱発し、移民の入国制限や取り締まりを強化した点についても然りだ。

しかし、かといって、主流派＝外交エリートがトランプ批判の際にしばしば用いる「「リベラル国際秩序」の維持・拡大に消極的」との説明にもリバタリアンは懐疑的だ。「リベラル国際秩序」の原則には賛同しつつも、米国が負の歴史を顧みず、前のめりの正義感や使命感に駆られて他国の反発・抵抗を招けば、かえって米国の安全は脅かされるというわけだ。ましてや、リベラル国際秩序の維持・拡大を口実に、軍事予算の増大や増税など「大きな政府」がさらに助長されかねない。

冷戦終結後のグローバル化の進展は国家の主権をより相対的なものにしている。その意味で、リバタリアンはグローバリズムを総じて好意的に捉えている。しかし、同時に、グローバリズムには国家間の競争を激化させ、国家の機能や権限をかえって強化している面もある。国家がグローバル化への対応を迫られる中、「個人」よりも「国民」であることが優先されかねない点についてもリバタリアンは警戒する。

もちろん、これらは総論であり、自由市場・最小国家・社会的寛容を通奏低音としつつも、環境問題から移民問題、同盟関係に至るまで、各論になればなるほど解釈や主張に相当の幅がある。例えば先述の、リバタリアン党と最も関係の深いシンクタンク「ケイトー研究所」は一九七四年に創設され、二〇二一年一月にペンシルベニア大学が発表した「世界のシンクタンク・ランキング」（2020 Global Go To Think Tank Index Report）では世界二七位、国内一三位に位置している。同研究所は、海外における米軍の過剰拡張を懸念する立場から、日米同盟に関しても日本側のさらなる負担共有を求めている。その意味で、二〇一六年三月から施行された日本の平和安全法制を前向きに評価し、漸次的に米軍のプレゼンスを縮小し、日本の自主防衛を促すよう提唱している。前述のポールの撤退論に比べるとより穏健だ。

写真 4-2　ケイトー研究所の外観
（筆者撮影）

5　リトレンチメント論争

このように権威主義（自国第一主義）、民主社会主義、リバタリアニズムの三つの立場は、それぞれ論拠こそ異なれ、これまでリベラル国際秩序を牽引してきた主流派＝外交エリートへの不満を共有している。

そうした中、近年、米国の対外介入や米軍の海外展開を整理縮小すべきというリトレンチメント(retrenchment)論が高まりを見せている。冷戦終結後の抑制(restraint)論やオフショア・バランシング(offshore balancing)論に連なるリアリズムの考え方で、米国にとって死活的な情勢が出現しない限り、米軍の前方展開を引き揚げ、地域諸国間の勢力均衡を促進する戦略を指す。同盟国への防衛義務の放棄や同盟関係そのものの解消を主張する極端な孤立主義は避けつつも、主流派＝外交エリートが超党派で推進してきた積極的な関与・介入政策を退ける点が特徴だ。中東で「終わりなき戦争」を停止し、ヨーロッパでは同盟国の防衛努力の強化を促す代わりに、インド太平洋へリソースをシフトし、対中バランシング(牽制)を図る案など具体案は様々だが、強い軍事力を背景に、他国の体制転換も厭わないタカ派(安保保守やネオコンなど)とは極めて対照的だ。代表的論者である国際政治学者のスティーブン・ウォルトとジョン・ミアシャイマーが二〇〇七年に著した『イスラエル・ロビーとアメリカの外交政策』(副島隆彦訳、講談社、二〇〇七年、原題 *The Israel Lobby and the U.S. Foreign Policy*)は、イスラエル・ロビーの圧力を受け、米国が過度にイスラエルに肩入れした結果、中東などで反米感情を悪化させ、かえって米国の国益を損ねていると告発し、激しい論争を引き起こした。

二〇一九年にはワシントンDCにリトレンチメントの立場を明確に打ち出したシンクタンク「責任ある国家運営のためのクインジー研究所(Quincy Institute for Responsible Statecraft)」が創設された。名称は第六代大統領ジョン・クインジー・アダムズ(第二代大統領ジョン・アダムズの息子)に由来する。アダムズは国務長官だった一八二一年の外交演説で「米国は怪物退治のために海外へ行くことはしない」と抑制的な姿勢を打ち出し、その後のモンロー主義(相互不干渉主義、孤立主義)を形作ったことで知られる。同研究所のホームページにはアダムズの言葉とともに、「アイゼンハワー大統領が警告した「軍産複合体」の影響により、ワシントンの外交政策の議論は意図的に制約され、再考に必要な多様な意見を取り入れることができない状況になっている」と記されている。

興味深いのは、主な出資者が米国を代表する大富豪のジョージ・ソロスとチャールズ・コークの二氏である点だ。ソロスは民主党の高額献金者で、新自由主義に批判的であり、トービン税(金融取引税)の導入や富裕層への課税強化を支持するなど、民主社会主義との親和性も高い。かたやコークは自らの財団を通してケイトー研究所などリバタリアン系の団体に幅広く支援を行う一方で、「大きな政府」に抗うティーパーティ運動を資金面で支えるなど、共和党に多大な影響を及ぼしてきた。二人ともユダヤ系だが、政治信条は大きく異なる。その両氏が米国の外交・安保政策のリトレンチメントという点で共鳴し、中国やロシア、イラン、北朝鮮との対話などを提唱している。

　コークはリバタリアンの立場からトランプの保護主義的な通商政策や排外主義的な移民政策、強権的な政治手法を批判し、ヒラリー・クリントンとトランプが争った二〇一六年の大統領選挙を「癌か心臓発作のどちらかを選ぶようなもの」と斬り捨てた。かたや社会正義や教育、公衆衛生、メディアの独立性の促進に従事する国際的な市民活動への助成財団「オープン・ソサエティ」の創設者でもあるソロスは、トランプ批判の急先鋒でもある（ちなみにソロスの祖国ハンガリーのオルバーン首相――先述したように権威主義的なポピュリストとして「トランプ以前のトランプ（Trump before Trump）」とも称される――はソロスを目の敵にしており、同財団はハンガリーからの撤退を余儀なくされた）。にもかかわらず、リトレンチメントという点では反トランプ派のクインジー研究所とトランプ派のＡＦＰＩは奇妙な重なりを見せる。

　こうしたリトレンチメント論に主流派＝外交エリートは不快感を隠さない。例えば、国際政治学者のジョン・アイケンベリーとダニエル・デュードニーは「見当違いの抑制論――クインジー連合とリベラル国際主義」（"Misplaced Restraint: The Quincy Coalition Versus Liberal Internationalism," *Survival*, International Institute for Strategic Studies, Volume 63, 2021）と題する共著論文において、こうしたリトレンチメント派を「クインジー連合（Quincy coalition）」と揶揄する。

この一〇年の間にイラク問題が米国の外交政策を悩ませるようになると、「抑制」を強調する新しい思想の一派であるクインジー連合が登場し、瞬く間に米国の外交政策を語るうえで主要な声となった。クインジー連合は国内のリバタリアン、力の均衡を求めるリアリスト、反帝国主義のリベラル左派の一見奇妙な同盟関係から生まれた。（拙訳）

そのうえで次のように批判する。

クインジー連合の構想（vision）と政策課題（agenda）には致命的な欠陥がある。（中略）もしそれらが追求されれば、米国は基本的な利益・地位・影響力を損なうことになる。また、核拡散や気候変動、サイバーガバナンス、パンデミック、疾病への対応など、重要かつ急速に拡大している地球規模の問題に対処するために重要な国際機関やグローバルな能力に深刻なダメージを与えることになる。さらには、世界的にリベラル民主主義や人権に関する見通しが立たなくなる。そして、中国の膨張と覇権的野心という否定し難い現実への対応も極めて弱いものになる。冷戦終結後の一極集中時代のイラクにおける失敗を批判しても、グローバルな相互依存の連鎖や民主主義の後退、非自由主義的な大国からの歴史的な戦略的挑戦に対して、米国の外交政策を実施するための指針にはほとんどならない。（同右）

つまり、リベラル国際主義こそが世界の問題を解決できる唯一の選択というわけだ。

それに対して、例えばクインジー研究所の研究部長サラン・シドレは、米国の国際主義が南半球の国々に対して冷淡だった点や、環境破壊を防げなかった点などを例挙し、「米国の介入主義や威圧的な対外制裁戦略（中略）は中国の台頭と同等かそれ以上の脅威と見なされるかもしれない」と同研究所のホームページで反論。リベラル国際主義とは「最悪の場合、自国のために一極集中を永続させようとする深意を覆い隠す薄い化粧板」であり、「不確実性、多極化の進展、そして地球規模の危機に直面する現代においては時代遅れの手法」であると批判する（Sarang Shidore, "Calling 'liberal internationalism' what it is: American primacy," August 4, 2021）。

6　漂流する共和党

主流派＝外交エリートに対するこうした不信を前に、共和党と民主党の対外認識やアイデンティティは大きく揺さぶられている。共和党に関しては、レーガン時代の対ソ強硬路線やブッシュ時代に対テロ戦争を主導した安保保守の影がすっかり薄くなった。安保保守の有力論壇誌『ウィークリー・スタンダード』は二〇一八年末に廃刊となった。ロシアのウクライナ侵攻開始から約三週間後に行われた世論調査では、民主党支持者の七二パーセントが「ロシアの侵攻を止めてウクライナを助けることが米国の利益になる」と答えたのに対し、共和党支持者では四六パーセント。「紛争は米国には関係ない」と答えたのは民主党支持者が一一パーセント、共和党支持者が三二パーセント。民主党支持者の六七パーセントが「ロシアの完全敗北」を望んでいるのに対し、共和党支持者では五一パーセントだった(Yahoo! News Survey, March 22, 2022)。

かたや、民主党のバイデンは上院議員時代には外交委員長を務め、イラク開戦を支持し、オバマ政権の副大統領時代にはＴＰＰを積極的に推進するなど、主流派の代表的存在だった。しかし、大統領就任後は党内左派や米世論の反発を考慮し、ＴＰＰ復帰の気配すら示していない。

写真 4-3　米国の中のウクライナ
(上)ウクライナ系のカトリック教会．半旗の理由はウクライナへの連帯とテキサスの小学校での銃乱射事件への追悼のためという
(左下)同じく国内のウクライナ系のコミュニティ・センター
(右下)同センターのエントランス
(いずれもミネアポリス，2022 年 5 月 28 日，筆者撮影)

米国の労働者の利益を重視する「ミドルクラス外交」や、政府調達で米国製品を優先する「バイ・アメリカン政策」などもそうした内向き姿勢の表れだ。ロシアのウクライナ侵攻を食い止めるべく、二〇二一年一二月にプーチン大統領と会談(オンライン)した翌日、バイデンは「ロシアがウクライナに侵攻しても米軍を派遣しない」と明言している。

しかし、民主党内において民主社会主義の左派バネが強まっているとはいえ、主流派と左派の緊張関係そのものは以前から存在しており、かつ第一章で示したノーラン・チャート(図1-2)上では同じ「リベラル」の象限内での対立に過ぎない。つまり、あくまでリベラルの「度合い」の問題と捉えることができる。

それに対して、共和党内の対立はより深刻だ。なぜなら同じ「保守」の象限内での対立というよりは、「権威主義」の象限が「保守」の側を侵食する形で生じた対立だからである。共和党はもはや従来の「保守」政党ではなく、仮に保守政党だとしても、その「保守」の意味は大きく変容した。世論調査によると、従来、共和党の主流派と緊張関係にあった右派の政治家(ミット・ロムニー上院議員、パット・トゥーミー上院議員など)よりも、トランプとのつながりがより密接な政治家(フロリダ州のロン・デサンティス知事、ジョシュ・ホーリー上院議員など)の方が「保守的」と認識されている。トランプ自身、二〇〇一年からの八年間は民主党員だったが、今や、そのトランプが「保守」の旗印になったということだ（"How Trump Has Redefined Conservatism," *Five Thirty Eight*, June 24, 2021）。

当然、主流派の戸惑いは大きい。ジョージ・W・ブッシュ元大統領は二〇二一年四月に移民の帰化宣誓式で祝辞を述べた際、テレビ番組に出演。現在の共和党を「孤立主義的、保護主義的、そしてある程度、排外主義的（nativist）」と形容し、同党に対する「私の構想（vision）とは異なる」と答えている。オバマ時代に下院議長を務めた共和党のジョン・ベイナーは、同年に刊行した回想録（John Boehner, *On the House*, St. Martin's Press, 2021）の中で、現在の共和党がトランプと保守系メディアの「人質」になっており、「今の共和党では、自分が当選できるとは思えません。ロナルド・レーガンも無理だったと思う」と綴っている。在任中は右派のティーパーティ系の議員の突き上げに苦労した同氏だが、二〇年の大統領選挙の結果を覆そうとした共和党議員については「私が下院議長として目撃した立法上のテロリズ

写真 4-4　トランプ大統領夫妻（左，当時）と写真に収まるフロリダ州のロン・デサンティス知事夫妻（2019 年 2 月 18 日，© Government of Florida）

写真4-5　ワシントン中心部の共和党全国委員会(RNC)本部ビル(© GOOGLE MAPS)

ムは、今や実際のテロリズムを助長するに至った」と非難している。

第二章で述べたように、リズ・チェイニー下院議員は「トランプ党」化した共和党を批判し、下院共和党ナンバー3のポストを追われた。その彼女を連邦議会議事堂襲撃事件の調査に関する特別委員会の委員に抜擢したのは民主党のナンシー・ペロシ下院議長だった。しかし、共和党全国委員会は「民主党による一般市民の政治的な発言を迫害する試みに加担した」としてチェイニーへの問責決議を採択した。議事堂襲撃は「言論の自由」であり「市民的不服従」というわけだ。事件から約一年後に行われた世論調査によると、同事件を「反乱(insurrection)」と回答した民主党支持者は八五パーセントだったのに対し、共和党支持者では二一パーセントだった(CBS News/YouGov poll, January 2, 2022)。別の世論調査では民主党支持者の九六パーセントが同事件を「民主主義への脅威」と捉える一方で、共和党支持者では四五パーセントであり、五二パーセントは「民主主義の防守」と前向きな評価を下していた(ABC News/Ipsos poll, January 2, 2022)。トランプは自身のソーシャルメディアに「米国を再び偉大にするための、わが国における史上最大の運動」と絶賛する投稿をしている(二〇二二年六月九日)。

共和党に失望し離党する者や政界を引退する者も少なくない。共和党議員として初めてトランプの弾劾を求めたジャスティン・アマシュ下院議員は二〇一九年の独立記念日に離党を表明。『ワシントンポスト』紙への寄稿で「私は本日、独立を宣言し、共和党を離党する。私たちを分裂させ、人間性を奪う党派的な忠誠を私とともに拒否するよう訴える」と宣言。翌年、リバタリアン党に鞍替えした。一九年には同じくリバタリアン系でトランプ批判の急先鋒だったジェフ・フレーク上院議員が引退を表明。翌年の大統領選挙ではバイデン支持に回り、バイデン政権下で駐トルコ大使に任命された。路線対立をめぐり離党や引退をした民主党の有力政治家が見当たらないことを考えると、共和党の状況は深刻だ。

第一章で述べたように、米国では世界大恐慌を契機に約半世紀にわたってケインズ主義(ニューディール体制)の時代が続き、それが一九八〇年代のレーガン時代に新自由主義へと転じた。民主党のクリントン大統領は九六年の一般教書演説で「大きな政府の時代は終わった」と公言した。しかし、オバマ政権、そしてトランプ政権になっても続いた量的緩和や財政規模拡大の傾向に鑑みると、二〇一〇年代あたりに新自由主義から新ケインズ主義へと潮目が変わり、コロナ禍がこの流れを助長したと推察できる。

共和党内でも若い世代では大企業や富裕層への優遇措置に反発し、雇用創出のための政府支出を支持する傾向が見られる。レーガン時代に成人した年配の有権者とトランプ時代の若い有権者では「保守」を取り巻く時代状況も変化している。トランプを支持した労働者層では、大企業――とりわけアップルやグーグルなどのプラットフォーマー――が高学歴でリベラルなグローバリストの影響下にあるとの不信も強い。そうした中、若い世代や労働者層に、今後の共和党の活路を見出し、従来の「小さな政府」一辺倒の姿勢の修正を求める「リフォーミコン(reformicon)」(改革派保守)の存在が注目されつつある。

もっとも、安保保守や経済保守に比べると、社会保守の立場はより安定しており、キャンセル文化やウォーク文化、銃規制などへの反発は党内に広く共有されている。とりわけキリスト教保守派を中心に人工妊娠中絶の規制強化を求める動きが広がっている。連邦最高裁は一九七三年の判決(ロー対ウェード事件判決)で妊娠中絶を女性の権利と認め、妊娠二二〜二四週目頃までの中絶を容認した。しかし、二〇二二年六月、保守派判事が多数派を占める最高裁は、妊娠一五週目頃以降の人工妊娠中絶を禁じたミシシッピ州法を合憲とした。同判決が下された時点ですでに一三州で妊娠初期からの中絶を禁止するトリガー法（最高裁判決に連動して直ちに州内の中絶を禁止する州法）が制定されており、今後、半数以上の州で中絶が違法化される公算が高い（テキサス州では妊娠六週目以降、オクラホマ州では受精後の中絶を禁止する厳しい法律が最高裁判決以前から施行されている）。中絶賛成（プロ・チョイス）派が「女性の権利」を主張するのに対し、反対派（プロ・ライフ）派は「胎児の権利」や「宗教の自由」を掲げるなど、対立が激化している。今後は連邦法による中絶禁止や避妊薬の使用制限、同性婚の禁止へ向けた動きが進む可能性がある。とはいえ、各種世論調査は、米国全体では若い世代ほど中絶や同性婚など「価値をめぐる問題」に対してより寛容な傾向を示している。「無宗教」と答える割合が増大しているのもこの世代だ。近年は特定の宗教への信仰を持たないがスピリチュアルなものに関心があり精神的

写真 4-6　2022 年 6 月の最高裁判決に対して抗議するデモ．プラカードには「なぜ私より銃の方が広く権利を認められているのか」とあり，この女性のマスクには，女性が二流市民として扱われていることへの抗議が記されている（ニューヨーク，2022 年 6 月 25 日，© Alex Kent/AFP）

な豊かさを求める「無宗教型スピリチュアル層（Spiritual But Not Religious）」（ＳＢＮＲ）が増加している。

反共・反リベラルの立場から経済保守・社会保守・安保保守の三派が「保守大連合」を形成したのがレーガン以降の共和党だった。しかし、権威主義が台頭する中、「偉大なる古き党（Grand Old Party）」（ＧＯＰ）たる共和党は大きなアイデンティティの危機に瀕している。

7　中国問題

合意が可能な数少ない課題

対外関係で最大の懸案が対中政策であることは多言を要しない。中国は陸軍主体の大陸国家から外洋海軍を有する海洋国家へと転換しつつあり、先端技術や宇宙開発などあらゆる分野で米国の「戦略的競争相手」「唯一の競合国」になった。依然、総戦力では米軍が中国軍を凌駕しているものの、東アジアに配置されている通常戦力の物量ではむしろ中国軍が圧倒している。名目ＧＤＰでも二〇三〇年代のいずれかの時点で米国を逆転すると見込まれている。中国を最大の貿易相手国とする国々は一〇〇近いのに対し、米国に関してはその半数強に留まる。コロナ禍ではアフリカを中心に途上国へのマスク外交やワクチン外交を積極的に展開し、国際機関などで影響力を高めている。

もっとも、中国による途上国の鉄道や港湾など重要インフラの整備に向けた巨額の借款には「債務の罠」――返済不能になり、施設や土地を中国に明け渡さざるを得なくなる意図的策略――との懸念が根強い。また、こうした中国の地政学・地経学的な影響力拡大に加えて、中国国内における人権弾圧、相手を威嚇する攻撃的な「戦狼外交」、孔子学院（中国政府が出資し海外の大学などに設置している言語・文化教育機関）や国営メディアを通したプロパガンダなど、中国の振る舞いへの批判が高まっている。

それゆえ、米国では中国がハードパワーとソフトパワーの双方における脅威であるとして、超党派の合意が可能な数少ない課題の一つになっている。ロシアのウクライナ侵攻に近い将来の台湾危機を重ね合わせている米国の政治家や専門家は少なくない。米国にとって台湾が中国の支配下になることは西太平洋における覇権を事実上失うに等しい。地政学上の重要性はウクライナとは比較にならない。第三章で述べたように、米国を「古典的帝国」と捉えるならば、自らのアイデンティティを確認するために必要な異質な「他者」として中国が据えられているとも解釈できよう。

すでにオバマ政権一期目の二〇一〇年頃から中国の海洋進出をめぐる両国間の対立が顕在化し、習近平が共産党総書記に就任した一二年以降は改革開放路線の転換や巨大経済圏構想「一帯一路」に対する懸念が高まった。オバマが民主党左派の反対を押し切る形でTPPを推進した背景には対中ヘッジとしての狙いもあった。しかし、その一方で、気候変動に関するパリ協定締結を重視する立場から中国に歩み寄り、そのことが中国の勢力拡大を許したとも批判された。

トランプはオバマの対中政策を「弱腰」「宥和的」と一刀両断。権威主義(米国第一主義)の立場から対中強硬路線へと舵を切り、「新冷戦」とも称される米中の覇権争いが鮮明になった。その際、トランプはTPPなどの多国間枠組みや同盟関係への不信から、米中二国間による取引型(ディール)外交を指向。結果的に、米中間で制裁関税の応酬がエスカレートする「貿易戦争」の様相が濃くなった。

揺らぐ対中アプローチ

バイデン政権も対中強硬路線を継続している。国家安全保障会議(NSC)のインド太平洋担当調整官カート・キャンベルは、一九七〇年代以降、米国の指導者が中国に対して取ってき

写真 4-7　報道陣の前で冒頭から激しい応酬が繰り広げられた米中外交トップ会談（アラスカ州アンカレッジ，2021 年 3 月，©ロイター = 共同）

た関与政策が失敗し、今後、支配的なパラダイムは「競争」になると明言。同じくNSCで対中政策を担当するラッシュ・ドーシは、中国の目標は二〇四九年――毛沢東による建国宣言から一〇〇年目にあたる――までに米国の秩序に取って代わることであるとの認識を示している（Rush Doshi, *The Long Game*, Oxford University Press, 2021）。

ただし、トランプ時代とは異なり、バイデン政権は同盟国との連携を重視。米英豪による新たな安全保障の枠組み「AUKUS《オーカス》」や、米日豪印四か国による戦略対話の枠組み「QUAD《クアッド》」、新たな経済連携「IPEF《アイペフ》」（インド太平洋経済枠組み）などの新構想を打ち出した。加えて、対中関係を「対立」（人権、民主主義、安全保障など）、「競争」（貿易、知的財産、先端技術など）、「協力」（気候変動、感染症、核不拡散など）

の三領域に分け、各領域内で取引する「個別管理」の手法を取っている。例えば、中国による人権侵害などを理由に北京冬季五輪(二〇二二年)に政府の代表団を派遣しない「外交ボイコット」を表明したことは「対立」の領域に属する。ちなみに中国は、例えば、「協力」の見返りに「対立」の緩和を求めるなど、領域をまたいだ取引も厭わない「包括管理」の手法を取っている。基本的な交渉の手法そのものが嚙み合っていない状況だ。

こうしたバイデン政権の対中強硬路線はリトレンチメントを唱導する先述の「クインジー連合」にはどう映るのか。例えば、クインジー研究所は米中関係に関するセミナーの案内文に「中国の「脅威」は誇張されたものであり、北京の地域的野心は米国に対する直接的な脅威ではなく、中国の敵意は多くの点で欧米の攻撃的な行動に対する反動であるとの考え方もあります。米国はせいぜい、競合する利害関係者の力を均衡させるために、この地域の友人たちの自衛を支援するのみで、米国が主導する必要はないはずです」との視点を示している(December 16, 2021)。同セミナーには同研究所の客員研究員であるミアシャイマーと国際政治学者のデヴィッド・ケインが登壇。ミアシャイマーは米中新冷戦が米ソ冷戦よりも危険だとして中国の封じ込めを説く一方で、ケインは封じ込めに反対し、積極的な軍事的対応は不要であり、対立を過度にエスカレートさせるだけだと反論。「連合」内も決して一枚岩ではない。

ちなみに同研究所はバイデン政権が主催した「民主主義サミット」に関するセミナーの案内文で「世界における民主主義の促進は本当に米国の重要な関心事であり、実際に実行可能なのでしょうか。（中略）すでに緊迫している危険な関係を不必要に悪化させるものではないのでしょうか。（中略）冷戦時代のパラダイムを（中略）遥かに複雑な状況に適用しようとするものではないのでしょうか」と疑問を呈している（December 8, 2021）。リベラル国際秩序の維持・拡大を唱導する主流派に対する不安はバイデン政権の一挙手一投足に向けられている。

自国の安全を確保するための行動が他国に類似の措置を促し、結果的に緊張をより高めてしまう「安全保障のジレンマ」。新興勢力の台頭が既存の大国の不安や恐怖を煽り、軋轢を強め、衝突に陥る「ツキジデスの罠」。強い指導国や覇権国の不在が世界規模での政治や経済の混乱を招くとする「キンドルバーガーの罠」など、米中対立に関しては歴史のアナロジー（類比）を用いた様々な警鐘が鳴らされている。米中両国でナショナリズムが高まり、ますます妥協の余地が狭まる中、相手の意図や能力を読み違える愚は避けねばならない。そのためにも首脳会談をはじめ、意思疎通のチャンネルを張り巡らし、対立の解消そのものは容易ではないにせよ、少なくとも軍事衝突を回避し、対立を安定化できるかが問われている。

8　アフガン撤退の意味

対中強硬路線に加えて、バイデン政権がトランプ前政権から継承した大きな対外政策が米軍のアフガン撤退だった。中東での「終わりなき戦争」を停止し、対中バランシングのためにインド太平洋へリソースをシフトすることが目的だとすれば、単純な孤立主義ではなく、リトレンチメントの一環と捉えるのが正確だろう。方針そのものは厭戦ムードが漂う内向きの国内世論と合致するものだった。

しかし、トランプはタリバンとの交渉を優先し、二〇二〇年二月の和平合意にはアフガン政府が含まれていなかった。またバイデンは同時多発テロから二〇年の節目となる「二〇二一年八月末までの撤退完了」という政治日程に固執。事前に同盟国と十分な協議をすることなく、また撤退で生じる人道危機などへの対応も稚拙なまま、性急に撤退を推し進めた。

二〇〇一年の開戦から二〇年間で二兆ドル以上の戦費を支出し、米兵だけで約二五〇〇人が犠牲になったにもかかわらず、安定した民主国家を築くことも、タリバンを制圧することもできなかった。米軍撤退後のアフガンでは、男女平等や言論・集会・結社の自由といった民主的価値を認めない厳格なイスラム主義に基づく社会統制が復活するとともに、過激派「イスラム国」（ＩＳ）などが巣食うテロの温床化が進んでいる。

米国がアフガンやイラクの治安維持で消耗する間、中国やロシアは経済力や軍事力を増強。米軍が掲げた「テロとの戦い」という大義名分のもとに、中国は新疆ウイグル自治区で分離・独立派を弾圧し、ロシアも南部チェチェン共和国の独立派を鎮圧した。加えて、軍事介入で民主国家の建設を図った米国の傲慢さや、アフガン防衛を短兵急に放棄した米国の身勝手さを世界に喧伝した。

アフガンは中東、南アジア、中央アジア、中国にまたがる古くからの地政学的要衝で、一九世紀にはランドパワー（大陸国家＝ロシア帝国）とシーパワー（海洋国家＝イギリス帝国）が交錯する緩衝地帯だった。二つの帝国ともアフガン支配に失敗し国力を低下させたことから、アフガンは「帝国の墓場」とも称される。そのアフガンで二〇世紀のシーパワーたる米国も挫折した。一九九一年の湾岸戦争から約三〇年続いた米国の中東民主化計画も頓挫し、米国はユーラシア大陸からますます退きつつある。そのユーラシア大陸では中国とロシアという二つの権威主義体制の大国が存在感を高め、軍事面での連携を深めながら、第二次世界大戦後に米国が主導したリベラル国際秩序の改廃を図っている。

写真 4-8　カブール陥落．アフガニスタンの首都カブール上空を飛ぶ米軍のヘリコプター（2021 年 8 月 15 日，© Wakil KOHSAR/AFP）

さらにまた、「ＣＡＭＢＲＩＣ《キャンブリック》」――「Cloud Computing（クラウド）」「ＡＩ（人工知能）」「Mobility（モビリティ）」「Big Data（ビッグデータ）」「Robotics（ロボティクス）」「ＩｏＴ（モノのインターネット）」「Cyber Security（サイバーセキュリティ）」の頭文字を取った造語――と称される先端・次世代技術は、文化・社会・経済のみならず、軍事・安全保障をめぐる環境も激変させている。米国は総じて優位を保っているが、中国は研究開発に集中的に投資し、多くの分野で競争力を急速に高め、次世代の高速計算機などに使われる量子科学技術（量子通信・暗号システム）など一部の分野では米国を凌駕しつつある。

　こうした時代的変化を前に、米国はよりリトレンチメントを加速し、さらには孤立主義に向かってゆくのか。それとも、徐々に介入主義へと回帰してゆくのか。米国の対外政策の行方とその意味を読み違えないためにも、「アメリカとは何か」をめぐる国内の相剋を注視してゆく必要がある。

二〇二一年八月一五日のカブール陥落は一九七五年四月三〇日のサイゴン陥落を想起させるものだった。ベトナム撤退は米国の威信と自信を喪失させ、米国衰退論が隆盛した。しかし、その後の歴史を見れば、それは決して米国の覇権の終焉ではなかったし、米国例外主義が消えたわけでもなかった。アフガン撤退の事実をもって米国の行方を即断することはできない。

第 5 章

分断社会の行く末

予備選挙での投票所案内板．指示が多言語で表記されていた(ロサンゼルス，2022 年 6 月 1 日，筆者撮影)

1　強まる遠心力

私が米国での留学生活を始めたのは一九九〇年だが、その後、米国の分断は深化の一途を辿っている。党派対立はもはや感情的な域に達し、超党派の歩み寄りは稀有になった。とりわけ、近年は議会上院でも党派的な投票行動が目に付く。元来、下院よりも大局的な見地から国家を論じ、妥協や協力を促すよう制度設計されていた上院だが、もはや下院と大差なくなってきた。

また、連邦議会選挙と大統領選挙で同じ政党が支持されるようになった。例えば、第一一七議会（会期は二〇二一年一月から二年間）の場合、上院議員一〇〇人中九四人（九四パーセント）の選出州と下院議員四三五人中四一九人（九六パーセント）の選出区で二〇二〇年の議会選挙と大統領選挙の投票行動は合致していた。つまり、民主党の議員が勝利した州や選挙区が大統領選挙で共和党の候補を支持する異党派投票（split vote）はもはやごく稀になった。米国では一〇年ごとの国勢調査をもとに各州の選挙区改定が行われるが、党利党略が長く続いた結果、接戦区の数は減少傾向にある。それゆえ、本選挙よりも党内の予備選挙の方が実質的な意味を持つようになっている。

民主党と共和党の勢力が拮抗する状態も続いている。二〇一六年の大統領選挙ではわずか三つの州の七万七〇〇〇票が、そして二〇二〇年の大統領選挙では三つの州の四万五〇〇〇票がひっくり返っていれば、それぞれ異なる大統領が誕生していた。一六年の大統領選挙では全米総得票数で敗れた候補が（勝敗を決める）獲得選挙人数で勝る「ねじれ」が生じた。

さらに言えば、二〇二〇年の大統領選挙ではトランプが全米二五八六の郡・地区（全体の八三パーセント）を制する一方で、バイデンが勝利した五二七の郡・地区（全体の一七パーセント）は米国のGDPの約七割を生産している。

つまり、両党とも明確な敗北を自覚しにくく、一昔前のように「地滑り的勝利」や「圧倒的な支持率」を得ることが難しくなっている。

地方政治に関しても、例えば、全米五〇州中三八州（全体の七六パーセント）では行政府と立法府を同じ政党が支配すると同時に、知事選挙や州議会選挙そのものが国政の動向を色濃く反映するようになっている。すなわち、地域独自のローカルな課題よりも国政や大統領をめぐる賛否が争点になりつつあるということだ。レーガン時代に下院議長を務めた民主党のティップ・オニールは「すべての政治はローカルだ（All politics is local）」と喝破した。政治の基本は地方政治にあり、国政はあくまでその延長に過ぎないという意味だが、今日ではその構図は反転し、むしろ「すべての政治はナショナル」になりつつある。

このように二大政党制といっても、激しい党派対立の結果、二つの米国が交わることのないパラレルワールドを形成しているのが実情だ。レーガンとオニールは政治的には厳しく対立したが、互いに妥協や譲歩も辞さず、個人的には懇意だった。一九八一年にレーガンが狙撃され入院した際、面会を許可した最初の一人がオニールだった(Chris Matthews, *Tip and the Gipper*, Simon & Schuster, 2013)。今日のワシントンではこうした友情は稀になり、むしろ感情的・生理的な次元にまで互いの不信感や拒否感が深まっている。一九五八年に米ギャラップ社が「もしあなたに結婚適齢期の娘がいて、他の条件が同じ場合、民主党と共和党のどちらの相手と結婚させたいか」と尋ねたところ、一八パーセントが民主党、一〇パーセントが共和党を選び、七二パーセントが「気にしない」と回答した。しかし、二〇一六年には二八パーセントが民主党、二七パーセントが共和党を選ぶ一方で、「気にしない」と回答したのは四五パーセントにまで減少していた(*New York Times*, January 31, 2017)。

加えて、これまで述べてきたように、それぞれの党内での対立もあり、米政治はますます遠心力を強めている。メディアもオーディエンスの政治的指向に沿ってセグメント(細分)化する傾向にあり、とりわけインターネット空間では同じ主張が反響し増幅する「エコーチェンバー現象」やアルゴリズム（計算手順）によって関心のある情報ばかりが表示される「フィルターバブル現象」が生じやすい。こうした状況に鑑みると、米国の分裂状況が近未来に収まると考える積極的な理由は乏しい。

2　楽観的シナリオ

新しい価値観を持つ若い世代

しかし、今後の人口動態を考慮すると、対立の争点や軸がシフトすることは十分あり得る。米国の人口構成は多様化の一途にあり、総人口に占める白人の割合は二〇一〇年の六三・七パーセントから二〇年には五七・八パーセントにまで減少。四五年頃には過半数を割ると予測されている。有力大学ではすでに学生の男女比はほぼ同じになっており、女性の社会進出はさらに進むだろう。

二〇二〇年の大統領選挙ではミレニアル世代以下の若い層が最大の有権者ブロックになった。上の世代と比べるとモノ（車や家など）の所有や誇示的消費、肩書や出世、慣習や世間体に固執しない一方で、格差や人権、環境などをめぐる社会正義に敏感で、独自の消費行動やネットワークづくりにも積極的だ。健康や環境、動物保護の観点からエコファッションやビーガニズム(完全菜食主義)への関心が高いのもこの世代の特徴だ。

ミレニアル世代以下の四割以上は無宗教であり、トランプの岩盤支持層だった白人福音派(キリスト教プロテスタントの保守派)が総人口に占める割合は六五歳以上では二二パーセントなのに対し、一八〜二九歳の若年層ではわずか七パーセントに過ぎない(PRRI, The 2020 Census of American Religion, July 8, 2021)。

コロナ禍前にピューリサーチセンターが行った調査によると、ミレニアル世代の六四パーセント、その下のZ世代の七〇パーセントが「課題解決へ向けた政府のより大きな役割」を支持。X世代(一九六六〜八〇年生まれ)の五三パーセント、ベビーブーマー世代(一九四六〜六五年生まれ)の四九パーセントに比べると明らかに増加している。こうした新しい価値観を持つ若い世代が今後の米社会の中枢を担ってゆくことになる。

加えて、都市部への人口集中も進んでおり、二〇二〇年の国勢調査によると、過去一〇年間に大都市圏の人口が九パーセント増加したのに対し、それ以外の地域はわずか一パーセント増に留まった。全米の都市の八一パーセントで人口が増加したのに対し、郡(county)レベルではその半数以下だった。一般的に都市部ほどリベラル＝民主党の牙城とされている。

リベラル化の兆し？

こうした変化に適応できない政党や候補者は自ずと訴求力を失うことになる。とりわけ白人・男性・中高年・キリスト教保守派・農村部などを主な支持基盤とする共和党にとっては逆風だ。例えば、現在、共和党は人工妊娠中絶や気候変動対策などに消極的だが、今のままでは支持は先細りにならざるを得ない。こうした「選挙の現実」が、今日の対立の争点や軸をよりリベラルな方向へシフトさせる可能性がある。

加えて「市場の現実」もある。ミレニアル世代以下の若い層が「消費者」としても存在感を増す中、この層に背を向けられることは企業にとって致命的だ。ＥＳＧ（環境・社会・企業統治）への関心が高い投資家や人材に敬遠されればなおさらであろう。実際、二〇二〇年にはＢＬＭ運動への支持を表明する有力企業が相次いだ。経営者自身の信条や従業員からの要請もあったが、態度の未決・未表明が差別の黙認と同一視され、企業の格付けや資金調達に悪影響が及ぶリスクを踏まえた経営戦略上の判断もあった。

性的指向や性自認を理由にした差別を禁止するＬＧＢＴＱ平等法（Equality Act）の成立を訴え

る「平等法のためのビジネス連合（Business Coalition for the Equality Act）」にはアップルやゼネラルモーターズ（GM）、スターバックスなど五〇〇社以上の有力企業が参加した。言うまでもなく、有力企業は献金者や後援者、広告主として政治や文化にも大きな影響力を持つ。モルガン・スタンレーやエアビーアンドビー（Airbnb）、シティグループなど多くの有力企業は、二〇二〇年の大統領選挙の結果受け入れを拒否した共和党議員への献金中止を打ち出した。また、トランプ支持者による議事堂襲撃事件を受け、米ゴルフ界はトランプ関連のゴルフ場との関係解消を進めた。

もちろん、今後、デザイナーベイビー（遺伝子操作などで親が望む特性を与えられた赤ん坊）や異種移植（動物の臓器の人体移植）、メタバース（インターネット上の三次元の仮想空間やサービス）をめぐる規制の是非など、新たな対立の争点や軸が生み出されることは想像に難くない。しかし、緩やかにではあるが、時間とともにリベラルなコンセンサスないしプラットフォームが政策論議の前提として共有されてゆくのではないか。

例えば、共和党は民主党と比べて、依然、同性婚に後ろ向きだが、それでも一九九〇年代半ばからの四半世紀で同党支持者の許容度は三倍以上増加しており（図5-1）、若い世代ほどその傾向が顕著で（図5-2）、二〇二一年の時点で回答者全体の七〇パーセントが支持している（図

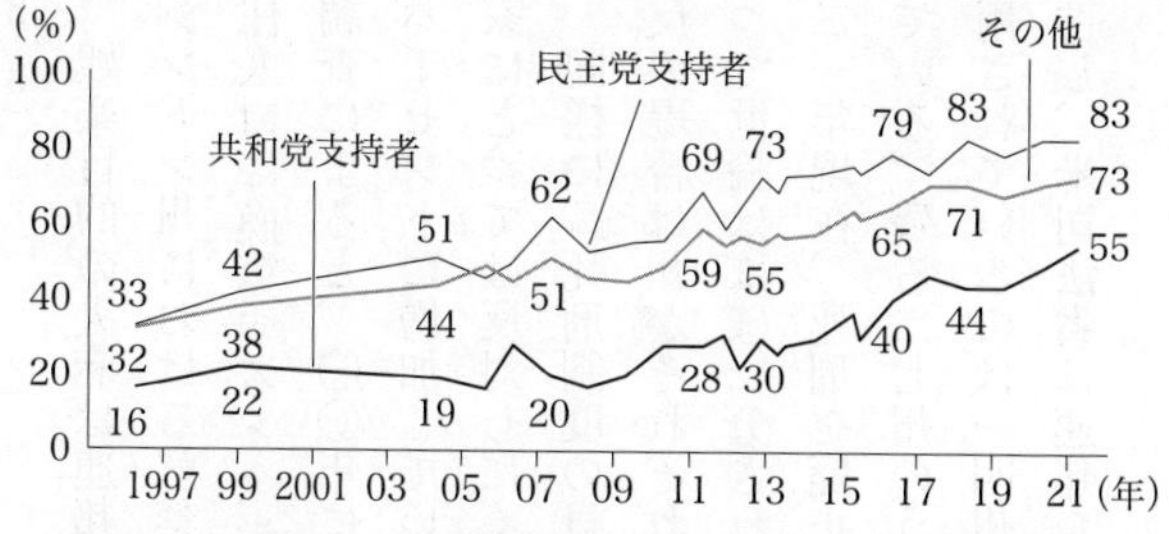

図 5-1　同性婚への許容度の推移(支持党派別，1996-2021 年)
出所：ギャラップ社 HP 掲載図をもとに作成

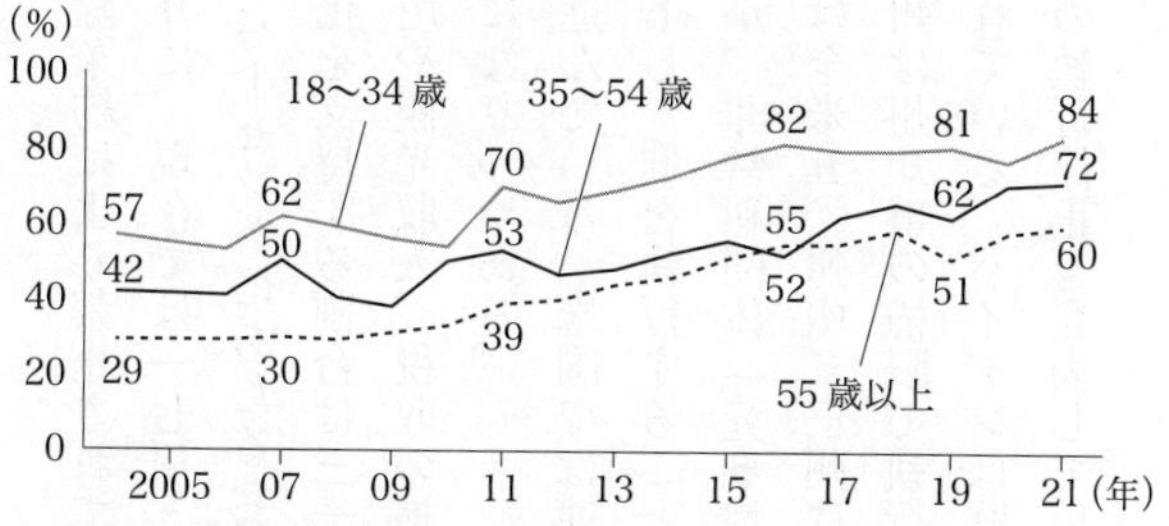

図 5-2　同性婚への許容度の推移(年齢別，2004-21 年)
出所：図 5-1 に同じ

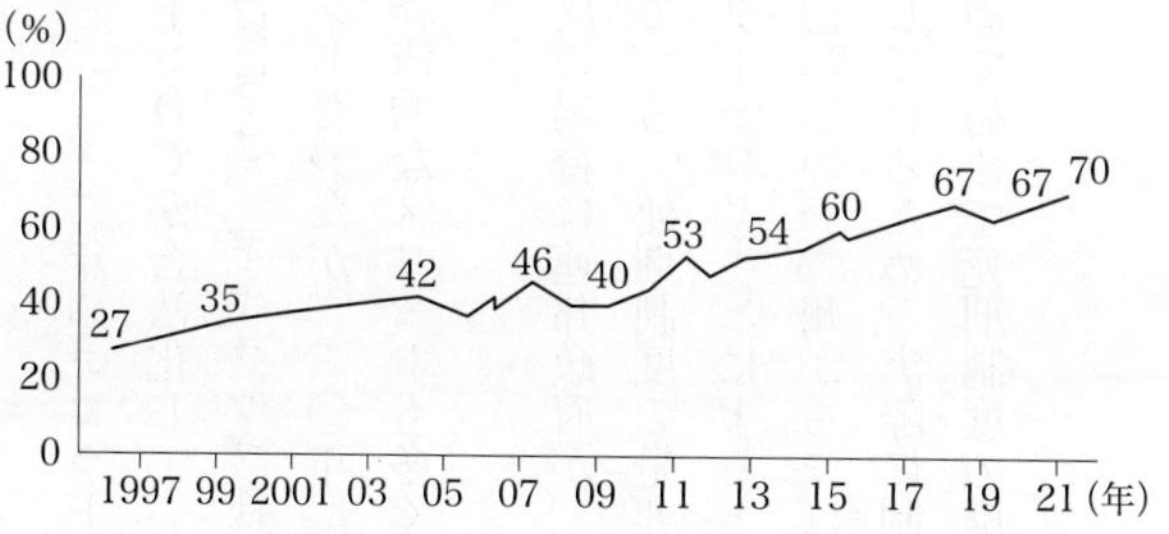

図 5-3　米国における同性婚への許容度の推移(1996-2021 年)
出所：図 5-1 に同じ

5-3)。

娯楽目的の大麻は連邦法や国際条約により禁止されているが、二〇一二年のコロラド州とワシントン州における解禁を皮切りに、現在では一七州とワシントンDCが合法化している。居住人口に換算すると全米の四三パーセントにあたる(*Vox*, April 12, 2021)。ギャラップ社の世論調査によると、〇〇年には合法化を支持する割合は三一パーセントだったが、二〇年には六八パーセントに増加している。雇用や観光収入、税収の拡大など経済的なメリットも多く、政治家にとっては反対しにくい状況になりつつある。

同様に、死刑制度の見直しも進んでいる。米国では連邦法違反の場合は連邦政府が、州法違反の場合は州がそれぞれ判決を下し、刑を執行することになっている。死刑制度の是非をめぐって世論はほぼ二分されているが、非営利団体「死刑情報センター」(DPIC)によると、二〇二一年現在、死刑を廃止した州は全米五〇州中二三州に達し、〇〇年の一二州からほぼ倍増している。残る二七州のうち一三州は州知事の権限で執行を停止しているため、実際に制度が運用されているのは一四州に限られている。バイデンは歴代大統領で初めて死刑制度の廃止を公言し、米司法省は連邦レベルでの執行停止を発表している。

3　反動と障壁

もちろん、こうしたリベラル化が進むにつれ、白人保守層による文化的反動は熾烈を極めるだろう。二〇一二年の大統領選挙での敗北後、共和党全国委員会をはじめ様々なレベルで敗因分析が行われ、今後の人口動態を見据えた支持基盤の多様化やそのための具体策が提唱された。しかし、四年後に党内の大統領候補の座を射止めたのはトランプであり、ペイリオコン的な反動が一大旋風を巻き起こした。中長期的に見れば、そうした反動が「最後のあがき」に過ぎないとしても、すぐに雲散霧消することは想像し難い。

この点、カリフォルニア州の事例は興味深い。同州ではすでに四半世紀前に白人人口が過半数を割り込んだ。二〇二〇年の国勢調査では白人は州人口の三四・七パーセントで、三九・四パーセントを占めるヒスパニック系が最大集団となっている。一方で、同州は白人ナショナリストの運動が最も活発な州の一つでもある。この例を米国全体に敷衍してみると、仮に白人人口が四五年頃に過半数を割ったとしても、少なくともその後四半世紀は白人保守層の文化的反動が表出する可能性が十分あるということだ。テロというとイスラム過激派が連想されがちだが、

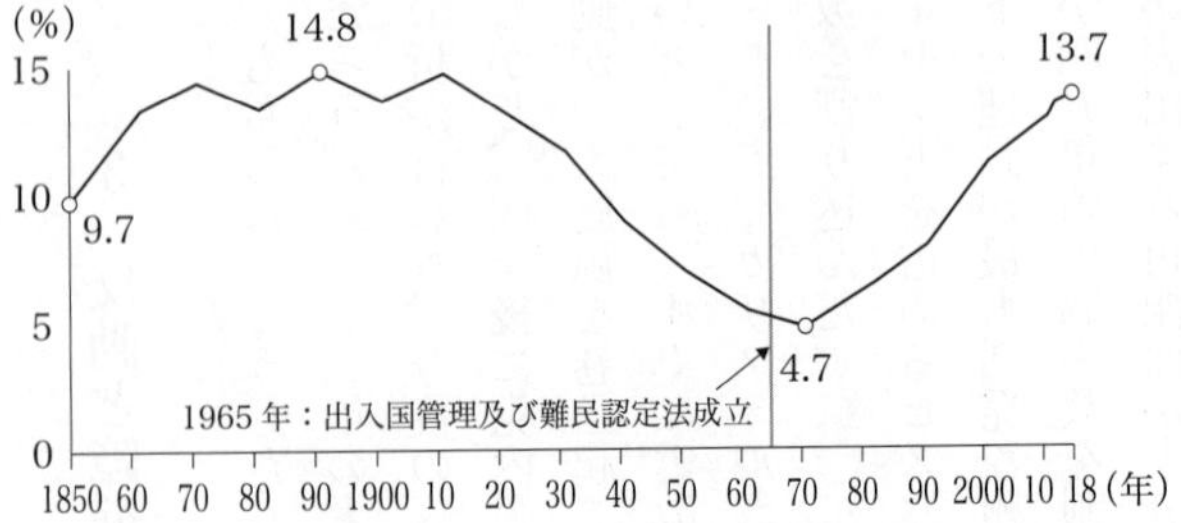

図5-4　米国総人口に占める外国生まれの移民の割合の推移
出所：ピューリサーチセンターのHP掲載図をもとに作成

ユダヤ系の人権団体「名誉毀損防止同盟」（ADL）によると、二〇〇九年からの一〇年間に起きた、米国内の過激派によるテロ事件の犠牲者四二七人のうち、極右系によるものが七三パーセント、イスラム系が二三パーセント、極左系が三パーセントとなっている。そして、極右系のうち七六パーセントが白人ナショナリストによるものだった。二〇二〇年の場合、米国内で起きた一七件のテロ事件のうち一六件が極右系によるもので、イスラム系は皆無、極左系は一件だった（ADL, Murder and Extremism in the United States in 2020）。

ちなみに、米国全体で見ると、コロナ禍以前の二〇一八年の時点で総人口に占める外国生まれの移民の割合は一三・七パーセントで、一九七〇年（四・七パーセント）から約三倍増となっている（図5-4）。歴史的に最も高かった一八九〇年（一四・八パーセント）や一九一〇年の水準に近づいている。一八八〇年代から一九二〇年代には中国人排斥法（一八八二年）やジョンソン＝

写真 5-1　コリアンタウンの看板(ロサンゼルス，2022 年 6 月 1 日，筆者撮影)

リード法（一九二四年、いわゆる排日移民法）などの排外主義が隆盛を極めた。今後、移民の割合が上昇し続け、白人が多数派から転落するならば、まさに米社会は未経験領域に突入することになる。

　社会学者アーリー・ホックシールドは共和党の牙城であるルイジアナ州レイクチャールズで二〇一一年から五年間、丹念なヒアリング調査を行った。全米有数の化学工業地帯に位置する同市は環境被害が深刻で、癌の発生率が高いことでも知られる。しかし、保守派の白人労働者層は自らが公害の被害者でありながら、政府の環境規制に抗い、「小さな政府」を訴えるティーパーティ運動を支持した。彼らは非合理的な存在なのか。ホックシールドは「経済的利益」の観点から彼らの行動を捉えがちなリベラル派の盲点——すなわち「自国にいながら異邦人であるという感覚」に苛まれていた彼らの「感情的利益」への共感を欠いていた点——を指摘する。彼らは「決して自分たちを〝犠牲者〟と呼びたがらない。「かわいそうなわたし」にはなりたくないのだ」とし、こうした屈折した感情こそがトランプの岩盤支持層を理解する鍵だと説く(布施由紀子訳『壁の向こうの住人たち』岩波書店、二〇一八年、原題 *Strangers in Their Own Land*, 2016)。経済的に困窮する(白人)労働者層が政府の助けを拒み、自らをさらなる窮状に追い込む逆説はしばしば指摘されるところだ。リベラルなコンセンサスないしプラットフォームが共有されてゆくといっても、それは決して一筋縄ではいかないだろう。

加えて、構造的な障壁もある。共和党は人口が少ない農業州などで優位に立つが、その州数は民主党より多い。連邦上院議員は州人口の大小にかかわらず各州から二名ずつ選出されるため、人口約六〇万人のワイオミング州(共和党優位州)も人口約四〇〇〇万人のカリフォルニア州(民主党優位州)も上院では同等の力を持つことになる。両党の上院議員が同数の場合、民主党議員は総人口の五六・五パーセント、共和党議員は四三・五パーセントを代表しているとの計算もある(Daily Kos, February 24, 2021)。連邦下院議員は人口に応じて各州に議席が比例配分されるが、共和党優位州は州内の選挙区改定を有利に進めることができる。大統領選挙の選挙人は上下両院の議員数と同数配分のため、大統領選挙でも共和党が有利となる。また、経済界は総じて「小さな政府」を好む傾向があり、一気にリベラル化が進むわけではない。

もっとも、中長期的、かつ楽観的な視点に立てば、こうした障壁は急進的な変化に一定のブレーキをかけ、ゆっくりと社会を時代に適応させているとも解釈できる。建国の指導者たちが今日の苛烈な政治状況をどこまで予想していたかは分からないが、権力の集中や民意の暴走を警戒し、共和政の安定を重視した彼らの意図が上手く作用していると言えなくもない。

4　悲観的シナリオ

しかし、これらはあまりに楽観的なシナリオかもしれない。コロナ禍における財政出動や金融緩和によって巨額のマネーが市場に流入し、空前の株高が続き、金融資産を「持つ者」と「持たざる者」との格差はさらに広がった。二〇二一年(六月末)の時点で、ミドルクラス(中位六〇パーセント)が保有する資産は全体の二六・六パーセントなのに対し、上位一パーセントが二七パーセントを占めるに至っている。それぞれが全体の三六・三パーセント、一七・一パーセントだった三〇年前（一九九一年）と比べると相当な拡大ペースだ（図5-5）。もはや分厚いミドルクラスを基盤とする先進国型経済というよりも、富裕層と低所得層から成る途上国型経済に近い。ピューリサーチセンターによると、親と同居する一八〜二九歳の若年層の割合は二〇二〇年に五二パーセントに達し、大恐慌時の四八パーセントを超える最高値となっている。

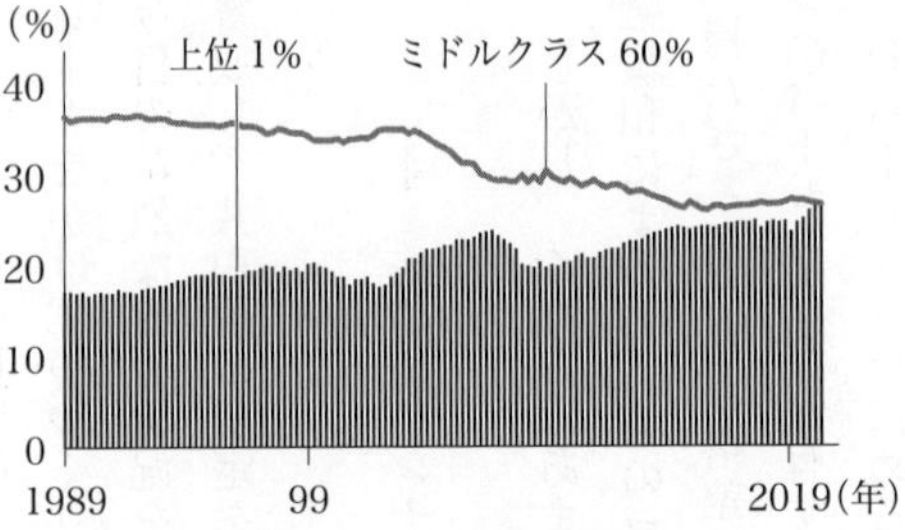

図5-5　拡大する貧富の格差
出所：BloombergのHP掲載図をもとに作成

今後、人工知能（AI）やロボットなどによる技術革新がさらに進むにつれ、社会全体の生産性はさらに高まり、新たなサービスや雇用の創出が見込まれる。そうした変化に順応できる高度のスキルやリテラシーを「持つ者」にとって、それは「創造的破壊」による機会の拡大を意味するだろう。その一方で「持たざる者」にとって、それは社会参加のハードルがますます上がることを意味する。コロナ禍で普及したテレワークは雇用の海外流出——いわゆる「遠隔移民（tele-migrants）」——を加速し、さらなる産業の空洞化を助長しかねない。コロナ禍によって労働者層や貧困層の教育機会はすでに深刻な影響を受けており、格差拡大に拍車がかかることが危惧されている（“Education in a Pandemic,” U.S. Department of Education, June 8, 2021）。行き過ぎた富の集中が民主主義にとって戦争と同じくらい有害だと警告したのは建国の指導者の一人、ジェームズ・マディソンである。

希望と尊厳を失った人々が現状破壊を訴え、トランプ以上に過激なポピュリスト政治家——右派であれ左派であれ——を「救世主」として待望する可能性は否定できない。そうした破壊願望に訴えることが選挙戦略や統治手法として効果的であることを示したのがトランプであり、今後も政治家や選挙コンサルタントは参考にし続けるだろう。

興味深いことに、排外主義的な言動が目立ったトランプだが、二〇二〇年の大統領選挙における黒人やヒスパニック系、アジア系、イスラム教徒などマイノリティからの得票率は一六年時の大統領選挙よりも増加している。例えば、メキシコとの国境を流れるリオグランデ川沿いに位置するテキサス州ザパタ郡（人口約一万四〇〇〇人）。ヒスパニック系が人口の八五パーセントを占めるが、二〇年には五ポイント以上の差でトランプが勝利した。同郡は一二年にはオバマが四三ポイント、一六年にはヒラリー・クリントンが三三ポイントの差で大勝した民主党の牙城で、住民の多くはトランプの移民政策や国境壁建設には反対している。しかし、シェール産業に依存した労働者層が多く、バイデンが提唱する脱化石燃料の方針に強く反発した（*Austin*

American-Statesman, November 5, 2020)。黒人やヒスパニック系の大卒者の割合は白人より低い。もちろん、アジア系やイスラム教徒の中にも低学歴層や労働者層は少なくない。ジェンダーや宗教に関して保守的な価値観を持つマイノリティも多い。

前節で人口動態の多様化が中長期的なリベラル化を促す可能性を述べたが、教育格差や経済格差の拡大の方がより直接的な影響をもたらす可能性も否定できない。すなわち、リベラルなコンセンサスないしプラットフォームが共有されるどころか、対立や分断がますます深まり続けるシナリオも十分あり得るということだ。第一章で述べたように、対立や分断がここまで深化した民主主義国家が協調メカニズムを回復した事例は皆無に等しい。米国だけが例外である保証はどこにもない。

5 アフター・ナショナリズム

以上、分断の行く末について楽観的シナリオと悲観的シナリオを述べたが、楽観的か悲観的かの判断は、そもそもどういう社会状態を想定するか、すなわち米国とはどういう社会で、どうあるべきかという問いにもよる。

この点に関して、政治学者サミュエル・ゴールドマンが『アフター・ナショナリズム』(*After Nationalism*, University of Pennsylvania Press, 2021. 未邦訳)で示した考察は示唆深い。

著者によると、米国人はこれまで常に「アメリカとは何か」という共通のアイデンティティ探しを行い、競い合い、そして失敗してきたという。具体的には三つの支配的ナラティブ(ナショナリズムの語り)を挙げる。

まず、第一に、建国前後の「聖約(covenantal)ナショナリズム」で、ピューリタン(清教徒)やメイフラワー号に象徴される、神と契約を交わした選民的な国家を理想とする。アングロサクソン系の白人プロテスタント――いわゆるワスプ(WASP)――を政治・経済・文化の中核とし、地域的にはニューイングランド地方(北東部)を中心とする米国理解だ。しかし、南部などニューイングランド以外の地域における影響力は限定的で、アイルランド系やイタリア系など非アングロサクソン系、非プロテスタントの移民が増加するにつれ訴求力を失っていった。

第二に、「坩堝《るつぼ》(crucible)ナショナリズム」で、多様な人種や民族が溶け合い、新たな文化や社会が形成される国家を理想とする。一九世紀半ばの西部開拓(西漸運動)以降に称揚されたが、南北戦争やその後の南部再建の放棄によって頓挫した。加えて、アジアなど世界各地から大量の移民が流入し、都市部を中心に軋轢や排斥が強まる中、この米国理解も効力を失っていった。

第三に、「信条(creedal)ナショナリズム」で、独立宣言や合衆国憲法に象徴される「理念の共和国」を理想とする。著者によれば、二〇世紀半ばに全体主義や共産主義と対峙するまで、米国人はこうした自国理解に乏しかったという。それ以降、たしかに、リベラル民主主義の旗印のもとに国際関与や対外介入を強め、国内でも差別や格差の解消に取り組んだ。しかし、ベトナム戦争の頃にはすでに亀裂が生じ、その後も価値やアイデンティティをめぐる争いが先鋭化するなど、やはり破綻しつつあるという。

著者は、米国は常に分断状況にあり、単一のアイデンティティを拒んできたとし、第二次世界大戦前後の国民的結束はあくまで例外であり、現在はむしろ「歴史的な平均値」に戻りつつあるという。それゆえ、一九四〇〜五〇年代への郷愁に駆られ、一枚岩のナショナリズムによる国民的結束を求めることは、非現実的なだけではなく、かえって分断を深めるだけだと指摘。むしろ、人々のアイデンティティの多様性を現実として認め、ローカルな共同体による小さな試みを促し、拡大してゆくことが肝要だと説く。それが「アフター・ナショナリズム」、すなわち「ナショナリズムの後」の時代のあるべき米国の姿というわけである。

もっとも、第三のナショナリズム(信条ナショナリズム)が破綻したと結論づけてよいかは疑問が残る。例えば、中国との覇権争いは――「新冷戦」という呼称が適切か否かは別として――

民主主義国家としてのナショナリズムに訴え、国民的結束を促す材料になり得るかもしれない。また、ローカルな共同体に積極的意味を見出すとしても、民主的な価値や制度の下支えがなければ、悪しき相対主義(宥和主義)や政治的なトライバリズム(部族主義)を助長するだけかもしれない。さらに言えば、厳然と存在する差別や格差の是正の根拠になり得るのは、まさに独立宣言や合衆国憲法に掲げられた政治理念に他ならない。何よりも、信条ナショナリズムは米国という「実験国家」の根幹にかかわる近代啓蒙思想の理念と深く結びついている。聖約ナショナリズムや坩堝ナショナリズムが同化のあり方をめぐるナラティブであるのに対して、信条ナショナリズムは米社会の基本的な構成原理にかかわるナラティブであり、そもそも並列して論じ得るものなのか疑わしい。

とはいえ、共通のアイデンティティ探しが常に失敗してきたとの指摘は過度な楽観的シナリオへの戒めとして、そして、分断こそが米国史の常態に近いとの指摘は過度な悲観的シナリオへの戒めとして、それぞれ留意に値しよう。楽観的か悲観的かの判断は、厳密にはあくまで過去のいかなる状況と比べるかによる。もちろん、その場合、過去と現在を同列に比較・評価してよいかは別問題だ。「建国期や南北戦争期には米国はもっと分裂していた」「一九世紀初頭のアンドリュー・ジャクソン(第七代大統領)や二〇世紀初頭のヒューイ・ロング(上院議員、元ルイジアナ州知事)など、トランプのようなポピュリスト政治家は過去にも存在していた」といった視点は大切だが、時代状況の違いを考慮すれば、「ゆえに現在を悲観する必要はない」とは必ずしも言えない。

6　新たなリスク

分断の行く末を考える際、もう一つ留意すべき点がある。それは「情報革命」や「第四次産業革命」などと称される技術革新がもたらす影響だ。先述したエコーチェンバー現象やフィルターバブル現象についてはすでに広く指摘されているが、ここではより根源的な、個人(市民)の自律性や主体性に対する影響を指す。

従来、個人の自律性や主体性が論じられる場合、社会的な紐帯や規範との関連で論じられることが多かった。例えば、トクヴィルはヨーロッパ流の身分制社会から自由になった米市民の平等性を称える一方で、その脆さを危惧した。例えば、『アメリカのデモクラシー』の中で「各人は永遠にただ自分自身のみに依存し、そして自らの心の孤独の中に閉じ込められる危険がある」とし、不特定多数への付和雷同(「多数派の専制」)が強まることへの警鐘を鳴らした。

社会学者ロバート・ベラーは、南北戦争を契機に米国が農村社会から近代産業社会へと変容し、第二次世界大戦後はとりわけ社会的分業が進み、人々が伝統的な紐帯や規範からより自由になる一方で、個人主義の言説(「自己発見」「自己表現」「自己成長」「自己実現」など)が米社会を覆っている状況を憂慮した。政治学者ロバート・パットナムは人々の関係性の中で育まれてきた紐帯や規範を「社会関係資本(social capital)」と捉え、市民社会の再生を唱えた。哲学者マイケル・サンデルも共同体主義(コミュニタリアニズム)の立場から個人主義の過剰や自由至上主義(リバタリアニズム)を批判して公共哲学を再構築し、共和主義的言説を回復してゆく必要性を説いている。こうした議論はいずれも、市民が社会から切り離された「浮遊する個人」や「原子化する個人」になることへの危機感を共有している。いわば「社会喪失の語り」と言ってよい。

もちろん、こうした語りには「過去を美化している」との批判が付きまとう。「伝統的な紐帯や規範」はマイノリティに対する「抑圧の体系」に過ぎなかった。「伝統的」とは、メディアによる「国民文化」の形成が進んだ一九二〇年代以降、とりわけ戦時ナショナリズムが高揚した一九四〇〜五〇年代への「郷愁」に過ぎない。紐帯や規範が弱体化ないし喪失したのではなく、より緩やかで柔軟になったと肯定的に捉えるべきだ、等々。私自身、博士論文以降の米国研究の中心は、様々なコミュニティへの調査を通して、こうした個人と社会(あるいは市民と国家）の関係性を考察することにあった。

しかし、二〇一〇年代あたりから、技術革新が加速する現代の米国において、そもそも個人（市民）の自律性や主体性とは何を意味するのかと自問するようになった。すなわち、ビッグデータやAIなどによって、個人の能力や判断、感性、趣向がデータ化され、そのパターン解析や意図的利用が容易になる中、もはや自律性や主体性など存在するのかという問いである。

たしかに、近代産業社会における自律性や主体性への危惧はかねてより指摘されていた。上述のベラーは、専門家や行政官僚などを中心に近代的・科学的・合理的な社会の管理や進歩のあり方が模索された二〇世紀初頭の「革新主義の時代」に、その萌芽を見出している。つまり、社会工学的発想が強まる中、個人が特定の部門で特定の機能を担う「単位」と見なされるようになったというわけである。哲学者アラスデア・マッキンタイアは、その個人が私的領域を守るためにますます公的領域の手続きや権威に依存してゆく逆説を「官僚的個人主義」と称した。（米国に限らず）公共圏を支える道徳や倫理の権威が法的・政治的手続きに矮小化されるさまを「私的領域の植民地化」と表現したのはドイツの哲学者・社会学者ユルゲン・ハーバーマスだ。

こうした「脆い個人」が自らの自律性や主体性を確認・確保する手段として、消費や資格、自己啓発、セラピー、ロマンス、身体性などを捉える議論も隆盛した。

しかし、現代では経営から金融、認知、身体性に至るまで、およそ人間や社会にまつわるあらゆる領域が工学の対象となり、感情や思考を解析して「適正値」や「最適解」を提示することが可能になっている。そして、様々な先端技術が融合する中、その規模も速度も精度も確実に増しつつある。個人がデータと化す中、個人の尊厳やアイデンティティとは何を意味するのか。個人(市民)そのものの自律性や主体性が揺らぐ中、「民主」主義とは何を意味するのか。これらは「実験国家」や「理念の共和国」としての米国の根幹にかかわる問いである。中長期的な米国の社会統合の行方を考える際、技術革新がもたらす影響は人口動態や経済格差と並んで留意すべき点と思われる。

7　デジタル・レーニン主義

実際、民主主義の根幹をなす選挙はすでにデータ戦の様相を濃くしている。例えば、二〇二〇年の大統領選挙の際、バイデン陣営はグーグルの元最高経営責任者(CEO)エリック・シュミットが出資したデータ分析会社「シビス・アナリティクス」に協力を依頼。AIを活用しながら大量の行動データを収集・解析し、アリゾナ、ペンシルベニアなどの接戦州や白人労働者

写真5-2　シビス・アナリティクス社のオフィス内（©Halkin Mason Photography）
出所：officesnapshots.com より

層、若年層、無党派層をターゲットにした緻密な集票戦略を展開した。

凄まじいのはそのデータの中身で、推定所得、不動産、医療保険、購買パターン、人種や民族などの属性データ、教会への出席状況などをデータ会社から購入。加えて、有権者のスマートフォンの利用履歴や位置情報をプロファイリング（分析・予測）し、ターゲット層ごとにメッセージの内容や表現、広告の掲載先、候補者の訪問先などを変えていった。

二〇一六年の大統領選挙ではフェイスブック（現メタ）が集めた約九〇〇〇万人の個人データを不正入手したとして、英ケンブリッジ・アナリティカ社が批判された。同社はトランプの側近だったバノンが創設に携わり、イギリスのEU離脱へ向け世論操作を行ったことでも知られる（二〇一八年に経営破綻）。

このように有権者の日々の生活の一挙手一投足がデータ化されると同時に、有権者の判断や行動に介入する状況が加速している。当然、こうした壮大なオペレーションを展開するには巨額の資金を必要とするため、民主・共和の二大政党以外の小政党はさらに不利な状況に置かれている（二大政党は選挙資金の面で法的に優遇されており、かつ長年引き継がれてきた献金者名簿や全米に張り巡らされたボランティアのネットワークを有している）。

こうした現実は、膨大な個人データとデジタル技術を持つ巨大IT企業の影響力をますます増大させている。とりわけグーグル、アップル、フェイスブック、アマゾン、マイクロソフトの上位五社（いわゆるGAFAM《ガーファム》）は、米国をはじめ、多くの国々の「社会インフラ」となっており、人と情報をつなぐプラットフォーム市場をほぼ独占している。二〇二二年一月にアップルの時価総額は世界初の三兆ドル台に達したが、これは日本の旧・東証一部の時価総額の半分弱にあたる。単純比較はできないが、GDP規模ではイギリスやインド、フランス、イタリアなどより高く、米国、中国、日本、ドイツに次ぐ。マイクロソフトの創業者ビル・ゲイツが立ち上げた「ビル＆メリンダ・ゲイツ財団」は世界保健機関（WHO）最大の民間出資者で、拠出額はWHO予算の約一割。米国政府に次ぐ巨大出資者となっている。もはや巨大IT企業の力は主権国家を凌駕すると言われる所以だ。

当然、その強大な影響力への反発も高まっている。市場の独占や寡占、課税逃れ、個人情報保護の甘さなどはしばしば指摘されるところだ。また、GAFAMのオフィスや工場が、進出した地域の経済エコシステム（生態系）を破壊し、不動産価格を高騰させ、格差拡大を助長しているとの批判や、より好条件を出す地域への移転を繰り返すことで、進出した地域の産業の空洞化や衰退を招いているとの批判も尽きない。

加えて、例えば、民主党はフェイスブックやツイッターがトランプやその支持者による虚偽情報や扇動的な投稿を野放しにしていると批判する一方で、共和党はこうした企業には高学歴なリベラルが多く、保守的な投稿を検閲していると糾弾している。双方からGAFAMなどへの風当たりが強まり、規制強化や課税強化、分割論なども議論されてはいるが、まさにその政治的・経済的・社会的な影響力の巨大さゆえに実効ある政策に結びつきにくいのが実情だ。

デジタル技術による監視社会やそれを支える思想を「デジタル・レーニン主義」と称したのはドイツの政治学者セバスチャン・ハイルマンだ。デジタル技術によって日常生活に多大な利便性がもたらされているのは確かであり、旧ソ連の全体主義とのアナロジーのみをもって語ることは一面的だろう。しかし、テクノロジーがもたらす快適さや安心感が監視社会や管理社会をより助長しかねないのも、また確かだ。個人の属性や特性がデータ化され、その能力や人格がスコア化され、アルゴリズムによって統治される社会。米国の民主主義はデジタル・レーニン主義への誘惑を乗り越えることができるのか。今後の米国の社会統合のあり方を考えるうえで看過できない問題だ。

もう一点、民主主義との関係で懸念されるのは、政治の世界がデータに支配されるにつれ、政治家としての信条や構想力よりも、目前の数字獲得そのものが大義や正義になりかねない点だ。こうした傾向はすでに「支持率」について指摘されているが、デジタル時代にはより助長されかねない。その時々の状況によって都合よく特定の政治的・社会的アイデンティティを演じ、その全てをゲーム（ないしディール＝取引）と見なす。完全に自律した個人と、社会状況によって完全に規定されてしまう個人は、そこでは必ずしも矛盾しない。そうした核となる価値を持たない、冷笑的で空虚なポストモダン的自我が権力と結びつくことに不気味さを覚える。とりわけ客観的事実や専門知が容易に否定される「ポスト真実（post-truth）」の時代にあってはなおさらだ。

8　問われるメタ・ソフトパワー

シャープパワー

ハイルマンがデジタル・レーニン主義の最たる例として挙げるのは中国だ。同国はＡＩや顔認証技術を駆使した国民監視を強化するとともに、アジアやアフリカ、ロシアなどへ監視システムを輸出している。

私は二〇一〇年秋に南太平洋のバヌアツを訪れた。中国が展開する英語による国際テレビ放送の現状把握が目的だった。中国にとってバヌアツは中南米への遠大な航路のほぼ中間に位置する戦略的要衝であると同時に、〇四年に(ごく短期間とはいえ)台湾と国交を結びそうになった危うい存在である。バヌアツの国会議事堂から市内の青果市場の屋根に至るまで中国が支援し、中国の国際放送を受信するための衛星パラボラアンテナも無償提供した。その際、バヌアツ政府の情報インフラに中国製のシステムが導入されていることに驚いた(拙著『文化と外交』中公新書、二〇一一年参照)。あれから一〇年以上が経ち、同様の話をアジアやアフリカなど世界各地から頻繁に伝聞するようになった。

インターネットが普及し始めた一九九〇年代には、中国のような権威主義体制もデジタル情報を統制することができず、いずれ崩壊するだろうとの声さえ聞かれた。しかし、現状はむしろ正反対で、国民監視や世論誘導が進み、より強権化している。民主主義の国々で世論が分断され、陰謀論や暴力すら誘発されているのとは対照的だ。非営利団体「フリーダムハウス」が六五か国を対象に行った二〇二〇年の調査によると、政府が政治や社会、宗教に関するコンテンツ閲覧を遮断している国が三五、政府がネット世論を誘導している国が三九となっている。

二〇一六年の米大統領選挙では、ロシアが対露強硬派のヒラリー・クリントン候補を中傷する偽情報を拡散したとの疑惑が浮上した。四年後の大統領選挙では、ロシアの情報当局が偽情報サイトなどを通して世論誘導を図ったとして、米政府が当局関係者への制裁を発表した。相手国の政治・社会システムの開放性ないし脆弱性を突き、情報工作を行う能力は「シャープパワー」と称される。情報の出所や経路が明らかで、双方向のコミュニケーションを通して相手国の「心(ハート)と知性(マインド)を勝ち取る」ことを目的とする「ソフトパワー」とは対照的だ。デジタル技術の進展とともに、中国やロシアなどの権威主義国家はシャープパワーをより巧妙化させている。軍事力や経済力などの「ハードパワー」のみならず、国際世論を味方につけるための争いも激しくなっている。

米ソ冷戦時代に外交官としてモスクワに勤務していた米国の歴史家ジョージ・ケナンは、一九四六年に米国務省へ送った有名な「長文電報(The Long Telegram)」の最後を次のように結んでいる。「ソ連の共産主義という問題に対処するうえで、私たちに降りかかる最大の危険は、私たち自身が対処する相手と同じになってしまうことです」。民主主義国家がシャープパワーに訴えることは論外であろう。また、シャープパワーを警戒するあまり、民主主義国家が自由でオープンな社会を自ら閉じてしまうのは、まさに権威主義国家の術中にはまることに他ならない。民主主義国家を自らと同じ土俵に引きずり下ろし、ソフトパワーの自壊を誘うことは、権威主義国家が最も望んでいることであろう。

「理念の共和国」の真価

権威主義は短期的な政策目標を実現するうえでは一見効率的だが、中長期的な政治や社会の安定という点ではリスクが高い。「民主主義は最悪の政治形態らしい。ただし、これまでに試されたすべての形態を別にすれば、の話であるが」と述べたのはイギリスの首相ウィンストン・チャーチルだが、民主主義の自己批判力や自省力――国際政治学者ジョセフ・ナイが説く「メタ・ソフトパワー」――こそは権威主義に対して最も優位な資質であろう。逆の言い方をすれば、民主主義国家が権威主義国家との対立や競争に専心するあまり、そうした特質を自ら放棄してしまえば、権威主義国家との境界線は限りなく曖昧になるということだ。

トクヴィルは『アメリカのデモクラシー』の中で「民主政治は王や貴族団よりも誤りに陥る機会を多くもっているが、また一旦悟りが開ければ、真理に立ち戻る機会も多くもっている。(中略)それゆえにアメリカ人の重大な特典は、他の諸国民よりも文化的に啓蒙されているばかりでなく、欠点を自ら矯正する能力をもっているということである」と述べている。その矯正力もまたひとえにメタ・ソフトパワーの有無にかかっている。

写真5-3　コーランを用いて宣誓式を行うミネソタ州選出のエリソン連邦下院議員（右，当時．2007年1月，© Michaela McNichol, Library of Congress）

例えば、日本軍による真珠湾攻撃（一九四一年）後、日系米国人の多くが敵性外国人として強制収容された。しかし、一九八八年にレーガン大統領は過ちを認め、謝罪と損害賠償を行った。二〇〇一年の同時多発テロ後、反イスラムの世論が高まる中、自制を強く訴えたのは日系米国人たちだった。その五年後にはキース・エリソンが米史上初のムスリム系の連邦議会議員に当選。宣誓式では独立宣言を起草したジェファーソン大統領が所蔵していたコーランに手を置いた（その後、一八年にミネソタ州司法長官に当選）。今日、連邦議会には三人のムスリム系議員がいる。〇九年には米史上初の黒人大統領が誕生した。

権威主義国家が台頭する世界の中、米国はメタ・

ソフトパワーを維持できるか。中長期的な米国の社会統合の行方を考える際、これがおそらく最も根源的な問いであろう。何故なら、それは米国という近代啓蒙思想の上に立脚する「理念の共和国」の根幹に直にかかわるものだからだ。

米国の中に民主主義の普遍性を見出したトクヴィルは「私はアメリカの中にアメリカを超えるものを見たことを認める」と述べた。もしそうであるならば、メタ・ソフトパワーが問われているのは米国だけではない。

あとがき

二〇二一年一一月、新型コロナウイルス(デルタ株)の感染拡大が落ち着いたタイミングで米北東部ボストン(マサチューセッツ州)を訪れた。コロナ禍前、最後に米国を訪れたのは二〇年二月末なので、約一年九か月ぶりだ。ボストンは私にとって二〇代の大半を過ごした場所だけに、様々な記憶や思いが去来する。

ふと、テレビを観ると、地元の放送局(WCVB、米ABC系列)の社長兼ゼネラルマネージャーが現れた。何かの謝罪かと思いきや、どうやら社説を述べるコーナーらしい。その日の主張は州議会議事堂の一般公開再開を訴えるものだった。曰く、コロナ禍が深刻化した二〇二〇年三月から一般公開は中止されたままで、他州と比べても異例とのこと。学校や図書館、市役所、町役場など、州内の公共施設のほとんどが再開している点を引き合いに州議会の消極的姿勢を批判した。「州議会は「市民の家(people's house)」と呼ばれています。何故なら、州議会は選挙で選ばれた代表者が市民のための仕事を行う場所であり、市民が指導者たちと自由に会い、仕事の様子を観察できる場所だからです」。その直截簡明な主張に米国の民主主義の厳しさと矜持を感じた。気持ちが一気に米国モードへと切り替わる（議事堂は二二年二月に公開を再開）。

三年ぶりにボストン美術館に足を運ぶと、スタッフが待遇改善を求めるデモを行っていた。

（上）ボストン美術館前で行われていたデモ
（下）同美術館内に設けられた抗議プラカードの展示コーナー
（いずれも 2021 年 11 月，筆者撮影）

コロナ禍でエッセンシャルワーカーの労働環境が問題視される中、米国では世界最大の農業機械メーカー「ジョンディア」で全米自動車労働組合（UAW）に加入している従業員約一万人が労使交渉を繰り広げていた。それに触発される形で、当時、全米各地でデモが展開されていたのである。ボストン美術館前のデモもその一つで、通り過ぎる車が次々とクラクションを鳴らして支持を表明していた。館内にはウォーク文化を象徴する抗議プラカードを展示するコーナーも設けられていた。ウォーク文化の是非や賛否はともかく、異議申し立てが奨励され、アクティビズム（積極行動主義）のある社会はやはり健全だと思う。

ちょうど新市長のミシェル・ウーの執務初日と重なったこともあり、ニュースは彼女の話題で持ち切りだった。ボストン市史上初の非白人（台湾系）かつ女性の市長。しかも三六歳（当時）という若さだ。ハーバード・ロースクール（法科大学院）で民主党左派を代表するエリザベス・ウォーレン教授（当時）に学び、ウォーレンが出馬した二〇一二年の連邦上院選挙ではボランティアらによるアウトリーチ活動を統括した。ボストンは長年ワスプ（WASP）とアイルランド系との政争の舞台として知られ、私自身、一九九〇年代にこの二つの白人集団へのフィールドワークをもとに博士論文をまとめたこともあり、時の移り変わりに感慨を深くする。

ボストン訪問のちょうど三年前、私は同僚数名と平壌（北朝鮮）にいた。先方の研究者や外交

金日成広場と人民大学習堂(北朝鮮・平壌, 2018 年 11 月, 筆者撮影)

関係者との意見交換を目的とした三泊四日の短い訪問だった。米国とは対照的に、権力批判やアクティビズムは許されない上位下達の権威主義社会。外国人と接触できる人民は厳しく制限されている。ここでは多くを記さないが、私にとって平壌はとても静かな街だった。今でも真っ先に思い出されるのは、日本へ帰国する日の朝の光景だ。前夜から雪が降りしきる中、平壌国際空港へと通じる一般道に数千人もの住民が繰り出し、黙々と手作業で除雪作業を行っていた。除雪車を出動させるのが当たり前の日本や米国ではまずあり得ない。と同時に、私にはそのシーンが個人よりも全体を重んじる社会をまさに象徴する一コマに思えた。統合原理がまるで異なる二つの世界はどう交わることができるのか。どこまでも賑やかな感謝祭前のボストンの街を歩きながら、ふと、そんなことを考えた。ウクライナでは国境付近にロシア軍が再び部隊を集結し始めていた。

＊

前回、岩波新書で現代米国について論じたのは二〇一〇年(『アメリカン・デモクラシーの逆説』)。米史上初の黒人大統領誕生の高揚感がまだ漂っていた頃だ。あとがきでは、オバマが当選を決めた翌朝、共和党員ながら同じ黒人のコンドリーザ・ライス国務長官が、中東歴訪に発つ直前、予告なしに国務省報道官の定例記者会見に現れ、「この国の最も偉大なことの一つは驚きが絶えない点にあります。自らを再生し続けている点です。あらゆる困難や予想を打ち負かし続けている点です」と感動の面持ちで述べたエピソードを紹介している。

しかし、その二〇〇八年の大統領選挙から八年後、さらに大きな「驚き」が待っているとは、当時、想像すらしなかった。その驚きをどう捉えればよいのか。この数年、講義や講演、メディアなどでしばしば聞かれた問いを中心に、本書では現代米国について出来るだけ大きな画を示すことを心がけた。大雑把すぎると感じる方もいれば、逆に、まだまだ細かすぎると感じる方もいるかと思うが、それでも執筆に踏み切ったのは、やはり米国の現状や民主主義の行方に強い危惧を抱いたからに他ならない。今後、さらに新たな「驚き」が訪れ、本書で示した懸念が杞憂に終わり、後世の読者から一笑に付される日が来るかもしれない。いや、むしろその日の到来を密かに期待している自分がいる。

本書の執筆にあたっては多くの方々にお世話になった。とりわけ米国務省の人物交流プログラム（インターナショナル・ビジター・リーダーシップ・プログラム＝ＩＶＬＰ）への参加や、米ウッドロー・ウィルソン国際学術センター（ウィルソンセンター）ならびに欧州大学院大学（College of Europe）における研究滞在はコロナ禍前の時代の貴重な経験となった。また、コロナ禍の間も米プリンストン高等研究所（ＩＡＳ）、米外交問題評議会（ＣＦＲ）、英王立国際問題研究所（チャタムハウス）、大和日英基金、ザルツブルク・グローバルセミナー、国際文化会館（アイハウス）、サントリー文化財団、ＰＨＰ研究所、外務省、財務省などのオンラインセミナーを通して米国の諸相について知見を広げる機会を得た。心より御礼申し上げたい。

岩波新書の前作『アメリカン・デモクラシーの逆説』（二〇一〇年）ならびに『〈文化〉を捉え直す』（二〇一五年）に続き、今回も上田麻里さんに編集をご担当いただいた。信頼できる優れた編集者とご一緒できることは私の喜びであり誇りでもある。

二〇二二年　真夏のダラスにて

渡辺　靖

索　引

あ　行

か　行

索　引

さ　行

た　行

ま　行

ら・わ行

渡辺 靖

1967年生まれ．慶應義塾大学SFC教授．97年ハーバード大学Ph.D.(社会人類学)．ハーバード大学国際問題研究所などを経て，2005年より現職．ケンブリッジ大学フェロー，パリ政治学院客員教授などを歴任．専門は現代米国論，パブリック・ディプロマシー論．日本学術振興会賞，日本学士院学術奨励賞受賞．

著書(単著)―『アフター・アメリカ』(慶應義塾大学出版会，サントリー学芸賞，アメリカ学会清水博賞，義塾賞)

『アメリカン・デモクラシーの逆説』『〈文化〉を捉え直す』(以上，岩波新書)

『文化と外交』『リバタリアニズム』『白人ナショナリズム』(以上，中公新書)

ほか多数．

アメリカとは何か
自画像と世界観をめぐる相剋　　岩波新書(新赤版)1938

2022年8月19日　第1刷発行
2022年12月5日　第2刷発行

著　者　渡《わた》辺《なべ》　靖《やすし》

発行者　坂本政謙

発行所　株式会社 岩波書店
〒101-8002 東京都千代田区一ツ橋2-5-5
案内 03-5210-4000　営業部 03-5210-4111
https://www.iwanami.co.jp/

新書編集部 03-5210-4054
https://www.iwanami.co.jp/sin/

印刷製本・法令印刷　カバー・半七印刷

ISBN 978-4-00-431938-2　　Printed in Japan

岩波新書新赤版一〇〇〇点に際して

ひとつの時代が終わったと言われて久しい。だが、その先にいかなる時代を展望するのか、私たちはその輪郭すら描きえていない。二〇世紀から持ち越した課題の多くは、未だ解決の緒を見つけることのできないままであり、二一世紀が新たに招きよせた問題も少なくない。グローバル資本主義の浸透、憎悪の連鎖、暴力の応酬――世界は混沌として深い不安の只中にある。

現代社会においては変化が常態となり、速さと新しさに絶対的な価値が与えられた。消費社会の深化と情報技術の革命は、種々の境界を無くし、人々の生活やコミュニケーションの様式を根底から変容させてきた。ライフスタイルは多様化し、一面では個人の生き方をそれぞれが選びとる時代が始まっている。同時に、新たな格差が生まれ、様々な次元での亀裂や分断が深まっている。社会や歴史に対する意識が揺らぎ、普遍的な理念に対する根本的な懐疑や、現実を変えることへの無力感がひそかに根を張りつつある。そして生きることに誰もが困難を覚える時代が到来している。

しかし、日常生活のそれぞれの場で、自由と民主主義を獲得し実践することを通じて、私たち自身がそうした閉塞を乗り超え、希望の時代の幕開けを告げてゆくことは不可能ではあるまい。そのために、いま求められていること――それは、個と個の間で開かれた対話を積み重ねながら、人間らしく生きることの条件について一人ひとりが粘り強く思考することではないか。その営みの糧となるものが、教養に外ならないと私たちは考える。歴史とは何か、よく生きるとはいかなることか、世界そして人間はどこへ向かうべきなのか――こうした根源的な問いとの格闘が、文化と知の厚みを作り出し、個人と社会を支える基盤としての教養となった。まさにそのような教養への道案内こそ、岩波新書が創刊以来、追求してきたことである。

岩波新書は、日中戦争下の一九三八年一一月に赤版として創刊された。創刊の辞は、道義の精神に則らない日本の行動を憂慮し、批判的精神と良心的行動の欠如を戒めつつ、現代人の現代的教養を刊行の目的とする、と謳っている。以後、青版、黄版、新赤版と装いを改めながら、合計二五〇〇点余りを世に問うてきた。そして、いままた新赤版が一〇〇〇点を迎えたのを機に、人間の理性と良心への信頼を再確認し、それに裏打ちされた文化を培っていく決意を込めて、新しい装丁のもとに再出発したいと思う。一冊一冊から吹き出す新風が一人でも多くの読者の許に届くこと、そして希望ある時代への想像力を豊かにかき立てることを切に願う。

（二〇〇六年四月）

現代世界

ネルソン・マンデラ	堀内隆行
日韓関係史	木宮正史
文在寅時代の韓国	文京洙
アメリカ大統領選	久保文明／金成隆一
イスラームからヨーロッパをみる	内藤正典
アメリカの制裁外交	杉田弘毅
ルポ トランプ王国2	金成隆一
2100年の世界地図 アフラシアの時代	峯陽一
フォト・ドキュメンタリー 朝鮮に渡った「日本人妻」	林典子
サイバーセキュリティ	谷脇康彦
トランプのアメリカに住む	吉見俊哉
ライシテから読む現代フランス	伊達聖伸
ベルルスコーニの時代	村上信一郎
イスラーム主義	末近浩太
ルポ 不法移民 アメリカ国境を越えた男たち	田中研之輔
習近平の中国 百年の夢と現実	林望
日中漂流	毛里和子
中国のフロンティア	川島真
シリア情勢	青山弘之
ルポ トランプ王国	金成隆一
ルポ 難民追跡 バルカンルートを行く	坂口裕彦
アメリカ政治の壁	渡辺将人
プーチンとG8の終焉	佐藤親賢
香港 中国と向き合う自由都市	倉田徹／張彧暋
〈文化〉を捉え直す	渡辺靖
イスラーム圏で働く	桜井啓子編
中南海 知られざる中国の中枢	稲垣清
フォト・ドキュメンタリー 人間の尊厳	林典子
㈱貧困大国アメリカ	堤未果
女たちの韓流	山下英愛
新・現代アフリカ入門	勝俣誠
中国の市民社会	李妍焱
勝てないアメリカ	大治朋子
ブラジル 跳躍の軌跡	堀坂浩太郎
非アメリカを生きる	室謙二
ネット大国中国	遠藤誉
ジプシーを訪ねて	関口義人
中国エネルギー事情	郭四志
アメリカン・デモクラシーの逆説	渡辺靖
ユーラシア胎動	堀江則雄
オバマ演説集	三浦俊章編訳
ルポ 貧困大国アメリカII	堤未果
オバマは何を変えるか	砂田一郎
平和構築	東大作
ネイティブ・アメリカン	鎌田遵
アフリカ・レポート	松本仁一
ヴェトナム新時代	坪井善明
イラクは食べる	酒井啓子
ルポ 貧困大国アメリカ	堤未果
エビと日本人II	村井吉敬
北朝鮮は、いま	北朝鮮研究学会編 石坂浩一監訳

政治

「オピニオン」の政治思想史　堤林剣　堤林恵
戦後政治史〔第四版〕　石川真澄　山口二郎
尊厳　マイケル・ローゼン　内尾太一　峯陽一 訳
デモクラシーの整理法　空井護
地方の論理　小磯修二
SDGs　南博　稲場雅紀
暴君　スティーブン・グリーンブラット　河合祥一郎 訳
ドキュメント 強権の経済政策　軽部謙介
リベラル・デモクラシーの現在　樋口陽一
民主主義は終わるのか　山口二郎
女性のいない民主主義　前田健太郎
平成の終焉　原武史
日米安保体制史　吉次公介
官僚たちのアベノミクス　軽部謙介

在日米軍 変貌する日米安保体制　梅林宏道
矢内原忠雄 戦争と知識人の使命　赤江達也
憲法改正とは何だろうか　高見勝利
共生保障〈支え合い〉の戦略　宮本太郎
シルバー・デモクラシー 戦後世代の覚悟と責任　寺島実郎
憲法と政治　青井未帆
18歳からの民主主義◆　岩波新書編集部 編
検証 安倍イズム　柿崎明二
右傾化する日本政治　中野晃一
外交ドキュメント 歴史認識◆　服部龍二
日米〈核〉同盟 原爆、核の傘、フクシマ　太田昌克
集団的自衛権と安全保障　豊下楢彦　古関彰一
日本は戦争をするのか　半田滋
アジア力の世紀　進藤榮一
民族紛争　月村太郎
自治体のエネルギー戦略　大野輝之
政治的思考　杉田敦

現代日本の政党デモクラシー　中北浩爾
サイバー時代の戦争　谷口長世
現代中国の政治　唐亮
政権交代とは何だったのか◆　山口二郎
日本の国会　大山礼子
戦後政治史〔第三版〕　石川真澄　山口二郎
〈私〉時代のデモクラシー　宇野重規
大臣〔増補版〕　菅直人
生活保障 排除しない社会へ　宮本太郎
「戦地」派遣 変わる自衛隊　半田滋
民族とネイション　塩川伸明
昭和天皇　原武史
集団的自衛権とは何か　豊下楢彦
沖縄密約　西山太吉
吉田茂　原彬久
市民の政治学◆　篠原一
東京都政　佐々木信夫
有事法制批判　憲法再生フォーラム 編

世界史

岩波新書より